2
琴子
ill. Tsubasa.v
JN066847
裏切られた悪徳王女、幼女になって冷血皇帝に拾われる
～大人の姿に戻っても、過保護な溺愛が止まりません!?～

ミランダ
オルムステッド帝国の公爵令嬢。
明るく朗らかでユーフェミアと
友達になる。
ネイト
アルバートの護衛騎士。
ユーフェミアの恋の相談相手。

アルバート・オルムステッド
オルムステッド帝国の皇帝。
ユーフェミアが命の恩人で初恋の相手。
ユーフェミア・リデル（大人ver.）
リデル王国王女でアルバートの婚約者。
魔力量に優れた才女だが、
恋愛に関しては奥手。

目次

裏切られた悪徳王女、幼女になって冷血皇帝に拾われる2

～大人の姿に戻っても、過保護な溺愛が止まりません!?～

琴子

〔イラスト〕 Tsubasa.v

◉前巻のあらすじ……


リデル王国王女ユーフェミアは国一番の魔力と美しさを持って生まれ、傲慢な態度から悪徳王女と呼ばれていた。

そんなユーフェミアはある日、身内に裏切られ殺されかける。命懸けで遠方へ逃げるが魔法が使えない幼い姿になったユーフェミアは、冷酷と噂のオルムステッド帝国皇帝アルバートに拾われることに。ユーフェミアは魔力が溜まり大人の姿に戻るまでアルバートを利用しようとするが、彼の溺愛に調子は狂うばかり。そのうちアルバートへの愛情も芽生え始め……。

大人の姿に戻りアルバートとの別れを惜しむユーフェミアに、アルバートは一緒に裏切り者を断罪しようと持ち掛けた。

「俺と、結婚していただけますか」

断罪後。アルバートの言葉にユーフェミアは大きく頷くのだった。

第一章　ユーフェミアとしての生活

オルムステッド帝国の王城敷地内にある広大で美しい薔薇(ばら)庭園にて、重厚(じゅうこう)で優雅(ゆうが)な香りに包まれながら、私は心が癒(いや)されていくのを感じていた。

（やっぱり私は薔薇が一番好きだわ）

帝国中の腕利(き)きの庭師が集められ造(つく)られたこの場所は、昨日完成したばかり。

庭園の中央には、眩(まぶ)しく輝く水飛沫(しぶき)をあげる大きな噴水がある。

半月という信じられない短期間で、着工から完成まで完璧にやってのけた彼らを心から称賛したい。

なぜそんな突貫(とっかん)工事が行われたかというと、私――ユーフェミア・リデルが半月前に何気(なにげ)なく「リデル王国では、薔薇庭園で過ごす時間が一番心が安らいだ」と言ったからだ。

そして、それを聞いた目の前の見目美しい男性——この国の皇帝であるアルバート・オルムステッドは私に何も言わずその日のうちに庭師を集め、この庭園を造り上げた。

ただ「私に喜んでほしい」という、その一心で。

「ユーフェミア様、気に入っていただけましたか？」

「ええ、とても。ありがとう」

「それなら良かった」

不器用な私がありふれた言葉しか言えなくとも、アルバートはアメジストの瞳を細め、嬉しそうに微笑(ほほえ)んでくれる。

その柔らかな表情からも愛情が伝わってきて、心臓が跳(は)ねた。

（……もう、どれだけ私のことが好きなのよ）

——私がユーフェミア・リデルとしてオルムステッド帝国に戻って来て、アルバートの婚約者になってから、もう半年が経(た)つ。

この半年間、アルバートは私に対して惜しみなく愛を注ぎ続けてくれている。

母国であるリデル王国を離れた私がこの帝国で少しでも過ごしやすいよう、人一倍多忙な身でありながらも、常に心を砕いてくれていた。

今だって仕事の合間に時間を作ってくれ、こうして二人で過ごしている。

(こんな穏やかな気持ちで毎日を過ごす日が来るなんて、未だに信じられない)

私は元々、妹のイヴォンと婚約者のカイルに裏切られて殺されかけ、命懸けでこの帝国に逃げてきた際、アルバートと出会った。

それも、四歳ほどの子どもの姿で。

以降、半年近く四歳の記憶喪失の「ユフィ」として、私なりに愛らしい子どもを演じながらアルバートや、帝国の人々と共に過ごしていた。

夜泣きをしてしまったり、我が儘を言ってしまったりしたことを思い出すと、未だに顔から火を吹き出しそうなくらい恥ずかしくなる。

そんなことを思い返していると、アルバートから強い視線を感じた。

彼はこの庭園に来てからというもの、美しく咲き誇る薔薇ではなく、私をずっと見ている気がしてならない。

「ねえアルバート、花はあなたの右側にあるんだけれど」

「申し訳ありません。ユーフェミア様があまりにもお美しいので、つい見惚れてしまうんです」

「……………う」

アルバートは全く恥ずかしげもなく、当然のことのように言ってのける。

こちらが照れてしまって、私はアルバートからぱっと顔を逸らした。

「今日もユーフェミア様のお顔を見られて、疲れも吹き飛びました」

「そ、そう。もっと見ていいわよ。数少ない私の良いところだし」

「そんなことはありません。俺はユーフェミア様の全てが好きです」

「……っ」

アルバートが可愛がってくれていたのは演技をしていた四歳の「ユフィ」だし、彼が長年想ってくれていた「ユーフェミア」も、直接関わったのは一度だけ。

だからこそ、素の大人の「私」として一緒にいては、傲慢で可愛げのないところに嫌気が差してしまうかもしれない、なんて当初は不安に思ったりもした。

けれど当初よりも今の方が愛されている気さえしていて、杞憂だったらしい。

本当に奇特な人だと思いながら、二人で庭園内を歩いていく。

「ユーフェミア様に指導をする者は皆、自分は必要ないと泣きついてきます。優秀すぎて困るとか」

「良かったわ。これでも国を治めようとしていたんだから」

アルバートの婚約者として、帝国の次期皇妃として学ぶべきことは多いけれど、全く問題なくこなせている。

とはいえ、これからアルバートと共に帝国を治めていくのだから、誰よりもこの国について詳しくなければならないし、常に時間が足りないくらいだった。

（アルバートに釣り合うような、完璧な婚約者になりたい）

そんな思いを胸に、日々努力を重ねていた。

（大変だし忙しいけれど、楽しいのよね）

これまで私は自身の行動全てを「女王になるためにしなければならないこと」だと考え、淡々とこなしてきた。

けれど今は少しでもアルバートの力になりたい、彼の支えになりたいという想いの元で行動しているせいか、前向きな気持ちで取り組んでいる。

アルバートに出会って彼の優しさや誠実さに触れるうちに、自身も、自身を取り巻く環境も変わったように思う。

そして自身の変化に気付くたび、全ての原動力になっているアルバートのことをどれほど好きなのかを、改めて実感していた。

「どうかご無理はされないでくださいね」

「ええ、これくらい問題ないわ。あなたこそ気を付けて」

元々リデル王国では毎日三時間ほどの睡眠で、ひたすら仕事をし続けていた。

けれど今ではアルバートだけでなく侍女達にも見張られているせいで、無理をしたくてもできない状況だった。

お陰で早寝早起き六時間睡眠、しっかり三食とおやつを食べるという、健康的な生活を送っている。

「……あとは早く結婚式ができたらいいんですが」

帝国のしきたりで、皇族は結婚までに必ず婚約期間を一年もうける必要がある。

私達は婚約してから半年が経ったため、残りも半年。

結婚式はアルバートが過去最高のものにすると意気込んでいるため、準備もかなり必要になるし、ちょうどいいくらいだろう。

私もまだ皇妃になる身として至らないところもある以上、残りの半年も気を抜かずに努力を重ねていきたい。

「花に長期保存魔法はかけた？」

「まだです。この辺りには保存魔法が得意な者が少ないので、数日後まで登城できないと聞いています」

「それなら私がやるわ。今が間違いなく一番綺麗だもの」

花を永遠に咲かせる魔法は存在しないものの、少しでも長く綺麗に咲かせるための魔法はある。

花といった繊細な植物の場合、複数の魔法を組み合わせなければいけない上に、魔力の調整が難しい。少しでもミスをすると一瞬にして枯れてしまう。

保存魔法が使える人間が全くいないわけではないけれど、王城の庭園なんて絶対にミスができない場所での仕事をするとなると、ごく少数になるだろう。

でも、私なら完璧にできる。

「ユーフェミア様が？」

「ええ、リデル王国でもいつも私がやっていたから」

アルバートに許可をとった私は胸の前で両手を組むと、そっと目を閉じた。美しい花達が咲き誇り続けるイメージをしながら、魔法を展開していく。

(ずっとこの花達と過ごせますように)

自身を中心に魔力を広げていき、やがて広い庭園内にまで行き渡らせた私は、目を開けてふうと息を吐いた。

「これで無事にできたはず――アルバート？」

アルバートへ視線を向けると、彼はぼうっとした様子で私を見つめている。声をかけると我に返ったらしく「申し訳ありません」と眉尻を下げた。

「……ユーフェミア様の魔法が、あまりにも綺麗だったので」

「あ、ありがとう……」

魔法の完成度を褒められることはあっても、綺麗だと褒められたのは初めてで、なんだか照れてしまう。

「こちらこそ、ありがとうございました。ユーフェミア様はやはり何でもできてしまうのですね」

「大半のことはできるはずだから、何かあればいつでも言って」

「はい。魔力の方は問題ありませんか？　この庭園の花全てに長期保存魔法をかけるとなると、かなり消費されたのでは」

アルバートの言う通り、普通の魔法使いであれば魔力が空っぽになり、二日は魔法が使えない状態になるだろう。

「私は大丈夫よ。なんならあと五回は同じことができるくらい」

魔力量がずば抜けて多い私は、これくらい全く問題ない。そう話すと、アルバートはほっとしたように微笑んだ。

「俺はそろそろ仕事に戻りますが、ユーフェミア様はどうされますか？」

「せっかくだし、私はあと五分だけこの場所にいるわ」

「分かりました。先に行きますね」

「ええ、頑張っ――」

何気なくアルバートの方を向いた瞬間、唇を塞がれていて、それ以上の言葉は紡げなくなってしまう。

動揺から小さく身体が跳ねたけれど、いつの間にかしっかりと後頭部に手を回されていて、唇はしっかりと合わさったまま。

「ん、う……」

やがてゆっくりと離れ、柔らかく微笑むアルバートと至近距離で視線が絡む。

世の中では「冷血皇帝」なんて呼ばれている彼が、こんなにも穏やかで愛おしむような表情を向けるのは、私だけだということも知っていた。

「ではまた、夕食の時に」

「……っ」

「大好きです、ユーフェミア様」

アルバートは甘い声で私の耳元でそう囁くと、名残惜しげに触れていた手を離して去っていく。

私はじわじわと熱くなっていく耳や頬を両手で押さえながら、その場にしゃがみ込んだ。

「……こんなの、心臓がいくつあっても足りないわ」

婚約者になってからというもの、こうして触れ合うことも少なくない。

そのたびに私は動揺し、石像のように固まってしまう。

真っ赤になっているであろう顔のまま王城へ戻れるはずがないし、五分と言わずゆっくり過ごそうと思う。

――アルバートが長年、女性に一切興味を持たずにいたのを心配していた城の者達は皆、私という婚約者を迎えたことがよほど嬉しいらしい。

二人で一緒にいるだけで、それはもうにこにこと嬉しそうな顔をする。

それが恥ずかしくてくすぐったくて、城内ではなるべく平然とした様子でいるようにしていた。

一息ついて落ち着いた後、立ち上がった私は庭園を再び散策することにした。

「本当に綺麗ね」

そっと指先で、鮮やかな赤い花びらを撫でる。アルバートが私のために植えてくれたものだと思うと、一輪一輪が愛おしく思える。

帝国での日々は私が生きてきた中で最も幸福で、穏やかな時間で。

（こんな日が、いつまでも続きますように）

左手の薬指で輝くシーグリッドの指輪を見つめながら、この幸せを噛み締めた。


しばらく庭園で過ごし、頬の熱も引いたのを確認して庭園を出たところ、入り口のアーチ前に見知った人影を見つけた。

「ユーフェミア様、お部屋までお送りします」

「一人で戻れるわ」

「しっかり送り届けないと、アルバート様に僕が怒られてしまうんですよ」

戯けた様子で肩を竦めて笑うネイトはアルバートの護衛騎士であり、帝国一の実力を持つ騎士だ。

眩しい金髪がよく似合う彼は爽やかで美しい顔をしているものの、かなり腹黒く、私が子どもの姿の間はずいぶんな扱いをしてくれた。

それでもアルバートが最も信頼する腹心であり、私が過去、誘拐された際にはいたく心配して眠らずに探してくれており、根は良い人間だと分かっている。

アルバートが過保護なのもいつものことで、私の少し後ろを歩くネイトと共に王城へ続く道を歩いていく。

「最近のアルバート様はまた無理をなさっているので、ユーフェミア様から気を付けるよう言っていただけませんか」

元々アルバートは無理をしがちだし、誰よりも多忙だ。

ユフィとして森で出会った頃も、ユーフェミアが死んだと知った彼の不眠や食欲不振を、ネイトは心から心配していた。

だからこそ子ども姿の私を脅してまで、アルバートを癒せと言っていたのだ。

「できることならそうしたいけれど、どう言えばいいのかしら。アルバートも必要な仕事をこなしているわけだし」

「過労でユーフェミア様より先に死んでしまった場合、他の男と再婚する、等の脅しが最も効果があると思います」

「ふふ、何よそれ」

斬新な説得に思わず笑ってしまいつつ、確かに効果はありそうだと思った。

アルバートに何かあったとしても、彼以外の男性とどうにかなるつもりはない。

それでも健康管理は大事だし、そのうち冗談交じりに言ってみようと思う。

ネイトと共に自室へ戻った私を、メイドのドロテは笑顔で出迎えてくれた。

「お帰りなさいませ、ユーフェミア様」

「ただいま」

帝国へ来たばかりの頃からずっと「ユフィ」の世話をしてくれていた子爵令嬢のドロテは、今も私の侍女として支えてくれている。

彼女だけでなく城に勤める者達も皆、アルバートの婚約者である「ユーフェミア」を温かく迎え入れてくれた。

「アルバート様が用意してくださったお菓子があるので、お茶にしませんか？」

「ええ、お願い」

仕事をするのはこの後で良いだろうとソファに腰を下ろし、手際良く支度するドロテの姿をじっと眺める。

アルバートはとにかく私の好きなものを用意しようとする癖があり、お菓子なんかも食べきれないほど取り寄せるものだから、困っていた。

『ねえアルバート、こんなにお菓子ばかり贈られては太ってしまうわ。そんなの嫌でしょう？』

『いえ。ユーフェミア様の美しさも好きですが、どんな姿でも愛しますよ』

『……そ、そう』

『はい』

いつだってアルバートの言葉には、嘘がないのが伝わってくる。

リデル王国では「悪徳王女」なんて呼ばれていた私は、容姿や身分だけを評価して近寄ってくる男性達に辟易していた。

とはいえ、傲慢で高飛車だった過去を思い返すと、それも当然なのだけれど。

だからこそ、こんな私自身を好きだと言ってくれるアルバートを大切にしたい。

「ユーフェミア様、バーナード様からお手紙が来ていましたよ」

ドロテが淹れてくれたお茶を飲みながらお菓子をいただいていると、数通の手紙を手にサビナが部屋へ入ってきた。

「また？　お兄様もまめな人ね」

「とてもユーフェミア様のことを想っていらっしゃいますし、勤勉な方です」

「もう、サビナはお兄様を過大評価しすぎよ」

リデル王国でずっと仕えていたサビナもまた、私と共に帝国へ来て、変わらず侍女として側にいてくれている。

いつも無表情だった彼女は最近、以前よりも色々な表情を見せるようになった。

そんな彼女から、以前は毎日書類仕事をする際に見ていた——けれど今は少しの懐かしさすら感じる、リデル王家の紋章が描かれた封筒を受け取った。

帝国に来てからというもの、バーナードお兄様からは月に一度、必ず長文の手紙が送られてきている。

（元々は会話すらなかったことを思うと、不思議な気分だわ）

第一王子という立場でありながら私への劣等感を抱え、気弱で引きこもりがちだった兄様はもうどこにもいない。

別人のように前向きになった今は次期国王を志し、努力を重ねているそうだ。

便箋の一枚目、二枚目には丁寧でお手本のような字で、リデル王国内や魔法師団についての報告が書かれている。

そして三枚目からはお父様やお母様、そして妹のイヴォンといった家族の様子について綴られていた。

現リデル国王であるお父様は相変わらずお母様第一ではあるものの、お兄様のサポートをしているそうだ。

私が死んだと知ってから体調を崩していたお母様はだいぶ回復したけれど、以前の厳格さは無くなり、今も離宮で静かに過ごしているという。

私が女王になるための教育に全てを懸けていた人だから、抜け殻のようになるのも仕方ないのかもしれない。

そして私の殺害未遂で無期懲役となった妹のイヴォンもこの半年の間に、廃人状態から回復したらしい。

今では隙あらば見張りの騎士を誘惑して外に出ようと画策しては罰を受け、怒り暴れているんだとか。

(本当、相変わらずね。その気力を他に向けられれば良かったのに)

その一方で、元婚約者であるカイルは父親である公爵様に見捨てられたことがよほど堪えたらしく、未だに泣き暮らしているそうだ。

自業自得でしかないし、同情はしない。

魔法に秀でていなければ、私はとっくに異空間で魔物に食われて死んでいたのだから、命があるだけ感謝してほしい。

胸が少しすっとした後、手紙をしまっておくようサビナにお願いした。

そして数日前に届いたものの、テーブルの上に置きっぱなしで未だに目を通せていなかった報告書を手に取った。

ぱらぱらと軽く捲るだけで、完成度がかなり高いことが窺える。

「……本当、仕事はできるんだから」

とある魔法に関するこの報告書を書いたのは、元王国魔法師団長であり、イヴォンとカイルと結託して私を殺そうとしたテレンスだった。

本来、死刑が妥当だった彼を無期懲役にし、牢の中でリデル王国の発展のため、様々な魔法の研究をさせている。

死刑にしたって良かったけれど、テレンスが私に次ぐほどの魔法使いであることに間違いはないし、とことん利用するつもりだった。

彼も深く反省し、牢の中でも愛する魔法に触れられることに感謝しているそうで、しっかり与えた仕事をこなしている。

「……っ」

そうして報告書を読んでいると不意に、ぐらりと視界が揺れた。心臓がぎゅっと締め付けられ、少しの息苦しさを感じる。

――ここ数ヶ月ほど、時折目眩がして心臓が痛むようになった。

流石の私も何か良くない病気かもしれないと、先月アルバートに隠れて医者に診てもらったけれど、身体に異常はないという診断をされた。

まさかそんなはずはないと別の医者に診てもらっても、全く同じ結果だった。

私自身ははっきりと自身の体調に違和感を覚えているものの、医者に問題ないと診断された以上はもう、どうしようもない。

単に疲れているのかもしれないと、自身に言い聞かせている。

とにかくアルバートには、体調のことを隠しておきたい。多忙で優しい彼に余計な心配はかけたくなかった。

（……それにこんな時、私はいつだって誰にも言わずに一人で解決してきたもの）

不安を押しつぶすように、心臓の辺りでぎゅっと右手を握りしめる。

「ユーフェミア様？　顔色が悪いようですが、大丈夫ですか」

「ええ、大丈夫よ」

心配げな顔をするドロテとサビナに問題ないと返事をして、笑顔を向けた。

第二章　不器用王女は甘えたい

よく晴れた昼下がり、私は完成したての薔薇庭園で小さなお茶会を開いていた。

真っ白なガゼボの中は特殊な魔法により適温に保（たも）たれ、日焼けをしないように日差しも防がれているそうだ。

どこまでも気遣いに溢れたアルバートが、時々恐ろしくなる。

「本当に素敵な庭園ですね。皇帝陛下のユーフェミア様への深い愛情が伝わってくるようですわ」

「ありがとう。そうだといいんだけれど」

招待客の一人であり侯爵令嬢であるマレーナ様は両手を合わせ、うっとりとした様子で庭園を眺めている。

こうして第三者に言われると、嬉しくもあり、くすぐったくもあった。

「ええ。そもそもアルバート様がこんな気遣いをするなんてあり得ないもの」

そう言って私の隣でくすりと微笑んだのは、帝国の公爵令嬢でありアルバートの幼馴染でもあるミランダだった。

栗色の髪を靡(なび)かせたミランダは元々アルバートの一番の妃候補で、私はてっきり彼女がアルバートに好意を抱いていると思っていたのだけれど。

「本当にユーフェミア様のことが好きなのね。二人きりの時の様子も見たいわ」

頬に手をあてて楽しげに笑う彼女からは、微塵(みじん)もそんな気持ちは感じられない。

その態度も以前とは全く別人で、私は今の彼女が好きだったりする。

——数ヶ月前、私が子どもの「ユフィ」だったということは伏せて、アルバートとの婚約を発表する王室主催のパーティーにて、ミランダに挨拶をした。

初対面のていで会った私とユフィがよく似ていたことにミランダはかなり驚いていたけれど、親類筋だと誤魔化(ごまか)したところ、納得してくれたようだった。

彼女や国中の人々からすれば私は大国の王女といえども、ぽっと出で皇帝の婚約者になった余所者(よそもの)なのだから、簡単に認められるはずなんてない。

特に私は「悪徳王女」なんて呼ばれていた悪評もあるのだから、風当たりが強いことも覚悟していた、のに。

『ユーフェミア様にお会いできて光栄です！　ご活躍は伺っていて、ずっとお会いしたいと思っていたんです！』

『あ、ありがとう、ございます……？』

ミランダは心から私を歓迎する様子――むしろ想像以上の好意を向けてくれて、戸惑いを隠せなかった。

他の令嬢達もこの国の社交界において力を持つ彼女が認めた以上は文句を言えないのか、あっという間に歓迎ムードになり、拍子抜けしてしまった。

『この国の社交界について分からないことがあれば、いつでもお声がけください。私、ユーフェミア様のお力になりたいので！』

『ええ。そうさせていただくわ』

ミランダはどこまでも優しくて協力的で、それからも関わるうちに親しくなり、いつしか二人で会うようにもなった。

『気を付けるべきはアクトン公爵夫人ですね。先代の皇妃様と親しかったこともあって、アルバート様のことを良く思っていらっしゃらないので』

『そうなのね。ありがとう、注視しておくわ』

関われば関わるほどミランダは素敵な女性で、彼女がこの国で愛され、信頼されている理由も、皇妃として望まれていたことにも納得した。

そして今の彼女が多くの努力の上に成り立っていることも分かるからこそ、なぜ皇妃の座を奪ってしまった私に対して良くしてくれるのか理解できない。

それでもいつの間にか私はミランダを好きになっていて、彼女とこれからも親しくしていきたいと思ったからこそ、正直に尋ねてみることにした。

『……ミランダはアルバートの一番の婚約者候補だったと聞いたわ。それなのに、どうして私にこんなに良くしてくれるの？　本来なら恨むべき相手じゃない』

もっと皇族や貴族らしい遠回りな尋ね方もあるだろうけれど、私はそういった言い回しが得意ではないし、ミランダとは率直な言葉を交わしたいと思った。

『ふふっ、ユーフェミア様のそういうところも理由のひとつかもしれません』

するとミランダは少し驚いた表情を浮かべた後、空色の瞳を細めて微笑んだ。

『どういう意味？』

『あなたは私にはないものを、たくさん持っているからです』

王城の私の部屋のソファに腰掛けていたミランダは眉尻を下げ、続けた。

『……私の家は過去に幾人も皇妃を輩出（はいしゅつ）してきたこともあって、幼い頃から必ず皇妃になれと両親から厳しく育てられてきました。本当は辛くて逃げ出したくて仕方なかったけれど、公爵家に生まれた以上は仕方ないと思っていたんです』

そうしてミランダは、自身のことを話してくれた。

皇妃にはなりたくないこと、いつも無理をしていて「貴族令嬢の鑑（かがみ）」なんて呼ばれているのも重圧でしかないこと、本当は自由な恋愛に憧れていることなどを。

それでも厳しい両親が許してくれるはずはなく、必死に努力をし続けたという。

『もちろん、アルバート様のことは尊敬しています。それでも恋愛感情を抱いたことは一度もありませんでした。ですから、舞踏会でアルバート様に声をかけられなかった時も、ユーフェミア様がアルバート様と婚約することになったと知った時もすごくほっとしたんです』

常に笑顔を絶やさない明るい彼女に、そんな思いがあったなんて想像していなかった。何よりそんなミランダの気持ちは、苦しくて痛いほどに分かる。

『ミランダ……』

『それにユーフェミア様がお相手だと知って敵（かな）わないと両親も悟ったのか、さほど怒られることもなかったんですよ。自国の令嬢であれば別だったでしょうけれど』

肩を竦（すく）めてミランダは笑ってみせたけれど、「さほど」なんて言えないくらい、ご両親には叱られたに違いない。

心が痛む私を見透かしたように、ミランダは微笑む。

『それに、元々ユーフェミア様のお話は聞いていたんです。同世代の女性なのに魔法や政治にも通じていて、魔物の討伐までされるなんて素敵だと憧れていました』

ミランダの言葉には嘘がないのが伝わってきて、知らないところで私を認めてくれていた人がいることに、胸が温かくなる。

『ううん、そんなことはないわ。私だって――……』

そして私もありのままの過去を話し、ミランダは相槌を打ちながら、静かに聞いてくれる。

心のうちを吐露したことで、少し気持ちが楽になっていく気がした。

『お話ししてくれて、ありがとうございます。私達、似ていますね』

『ええ。私もそう思うわ』

目を潤ませながら笑ってくれたミランダに、笑顔を返す。

きっとこの話は、ミランダだったからこそできたのだと思う。アルバートやサビナ達のことを信頼しているけれど、立場も考え方も違うはずだから。

そしてミランダも「こんな話をしたのは初めてです」と言ってくれて、私は彼女の手を取ると、ぎゅっと両手で握りしめた。

『よかったら私と友達になってくれる？』

するとミランダは潤んでいた目をぱちぱちと瞬(またた)いた後、むっと頬を膨らませた。

『……酷(ひど)いです』

『えっ？』

『私はとっくに友人だと思っていましたよ』

『ご、ごめんなさい。私、これまで友達がいなかったから、勝手が分からなくて』

慌ててしまう私を見て吹き出したミランダに、つられて笑ってしまう。

『ユーフェミア様って、本当に可愛らしい方ですね。アルバート様が夢中になるのも分かります』

『そう……？　あ、それともうひとつ、ミランダに話したいことがあるの』

その後、実は私が「ユフィ」だったことを伝えると、ミランダはどこか納得した様子で「信じられないお話ですが、そんな気はしていました」と微笑んだ。

これで疑問も隠し事もなくなったことで、心が軽くなる。

そうして初めて、貴族令嬢の友人ができたのだった。

ミランダは知人の少ない私に帝国の令嬢を紹介してくれ、今に至る。

私は元々、自国でもこんな風にお茶会を開いたことはなかった。今回もミランダのサポートがあったからこそで、彼女には感謝してもしきれない。

一度、何かお礼をしたいと申し出たところ「恋がしたいし両親から離れたい、素敵な他国の男性を紹介して」なんて言われて、笑ってしまった記憶がある。

それでもミランダには本当に良い相手を見つけて、幸せになってほしいと思う。

「見目麗しいお二人が甘い時間を過ごしている姿を想像するだけで、ドキドキしてしまいます。ロマンス小説のワンシーンのようじゃない？」

「もう、失礼よマレーナったら」

若い令嬢が集まると、話題は専ら恋愛ごとになるらしい。

そういえば、ここにいる令嬢達は皆、ミランダ以外は婚約者がいるはず。恋愛についての知識がほとんどない私は、参考にさせてもらおうと口を開いた。

「マレーナ様は婚約者の方と、どう過ごしているの？」

「くっついて甘えるのが大好きなので、二人きりの時はいつも膝の上で過ごしています。彼もいつも喜んでくれますし」

「分かるわ！　私は向かい合って抱きつくのが好きなの」

「えっ……」

他の令嬢達も彼女に同意し、きゃっきゃっと盛り上がる。

そんな中、何気なく尋ねた私は衝撃の解答に呆然として、言葉を失っていた。

（み、皆……婚約者とそんな風に過ごしているの……？）

異性の膝の上に乗るなんて、あまりにも過激すぎる。嫁入り前だというのに、はしたないと思われたりしないのだろうか。

手を繋ぐだけでドキドキして顔も見られない自分との差に、愕然とする。

「やっぱり飽きられてしまうのは怖いですし、夢中にさせないと」

「そうそう、最近は結婚して三年以内に浮気なんていうのも多いらしいわよね」

「………」

私は自分からアルバートに触れることすらほとんどしたことがないし、たまにキスをされた後は照れから、素っ気ない態度をとってしまう始末。

何もかもが受け身だった自分に、今更冷や汗が止まらなくなる。

アルバートがこの先も私を好きでいてくれることを疑うつもりはないけれど、いつまでも今と同じ大きさの愛情を向けられるとは限らない。

このままでは他の女性と比べてつまらないと、飽きられたり冷められたりする可能性だってある。世の中に「絶対」など存在しないし、油断はできない。

固まる私に気付いたらしいミランダが、そっと耳元に口を寄せてくる。

「昔は淑女たるもの、なんて言われていたのですが、最近では若い世代だと婚前でも結構スキンシップをするのが普通になっているみたいです」

「そ、そそ、そうなのね……」

「とはいえ誰もがそうというわけではないですし、気にされなくても良いかと」

ミランダはそう言ってくれたけれど、流石に私の場合はスキンシップのスの字もない気がしてならない。

(きっとアルバートは優しいから、挙動不審な私に気を遣ってくれているんだわ)

アルバートが私を好いてくれていることも分かっているし、時折キスをしてくれることを考えると、きっと彼も触れ合いを望んでいるはず。

このままではいけないと、今度は私がミランダの耳元にこそっと口を寄せた。

「ねえ、どうしたら上手く甘えられるのかしら」

「申し訳ありませんが、私にも全く経験がないので分からないんです」

「そうよね、確かにそうだわ」

確かにまだ婚約者が決まっておらず、厳しく育てられてきたミランダに、男性と触れ合った経験があるとは思えない。

それでも他の令嬢に相談するのは恥ずかしくて困っていると、ミランダは「そうだわ」と両手を合わせた。

「以前、友人がお薦めしていた本があるんです。読んでみてはいかがでしょう」

「なるほど、本ね。ぜひ読みたいわ」

それなら一人でなんとかできそうだと、早速本のタイトルを尋ねてみる。

そして今後はもう少し自分から頑張ってみようと、固く決意したのだった。


その日の晩、私はアルバートと共に食堂で夕食をとりながら、いつものように一日の報告をしていた。

「ミランダ達とのお茶会は、皆喜んでくれて上手くいったわ。あなたも色々と手伝ってくれてありがとう」

「俺は何もしていませんよ。ユーフェミア様も楽しめましたか？」

「ええ、とても。友人達とのお茶会を開くなんて初めてだったもの。皆流行に詳しいし、手土産のお菓子もどれも可愛らしくて——……」

つい長々と話してしまい、はっと口を噤んでアルバートを見上げる。

するとアルバートはひどく優しい表情を浮かべていて、どきっとしてしまった。

「ごめんなさい、私ばかり話してしまって」

「いえ。もっとユーフェミア様のお話を聞きたいです」

こういう時、どうしようもなくアルバートからの愛情を感じる。

何より私は他愛のない話を誰かにしたことなんてほとんどなかったし、それを嬉しそうに聞いてくれる人もいなかったから。

「お茶会の後、夕食までは何を？」

「自室で本を読んでいたわ」

「ユーフェミア様が読む本となると、やはり魔法や政治に関するものですか？」

「……そんなところね」

真面目な顔で尋ねてくるアルバートにまさか「あなたに甘えるための恋愛指南本です」とは言えず、適当に誤魔化してしまった。

──あの後、私は早速ドロテに例の本を用意してもらい、読破した。

そこには「嫌なものや怖いものを伝えて頼る」「我が儘を言う」といった甘える方法が書かれており、まさに目から鱗だった。

無知な私は、この通りに行動を起こしていこうと決めていた。

（とはいえ、私って嫌いなものも苦手なものもあまりないのよね）

好き嫌いだってないし、先程ドロテに聞いた女性が苦手だという「雷」や「幽霊」なんかも全く怖くないし信じていない。

それでも早速、何か行動を起こしてみたい。

「……これ、嫌いなの」

しばらくどうしようと悩んだ末、かくなる上はと嘘をつくことにした私は、適当に目の前の皿に乗ったにんじんを指さした。

（こ、これで本当に甘えたことになるの……？）

その上、ここからどうすればいいのかも分からない。本には「怖い」「苦手」と伝えれば、相手がなんとかしてくれると書いてあるだけ。

半信半疑のままアルバートへちらりと視線を向けると、彼は心底申し訳なさそうな顔をしていて、想像とは違う反応に冷や汗が背中を伝っていく。

「これまで気付かず大変申し訳ありません、二度と食卓に出さないようにします」

「えっ」

「今すぐ代わりのものを用意させますので。――すぐに料理長に二度とにんじんを使うなと伝えるように」

「かしこまりました」

アルバートは少し離れた場所に控えていた執事にそう指示をし、執事も急ぎ足で食堂を出ていく。

（待って、本当に待って！　そうじゃないの！）

このままでは一生にんじんは出てこなくなり、食卓から彩り（いろど）が失われ、栄養的にもアルバートの健康に良くないと焦った私は、慌てて声を上げた。

「ま、待って、違うの！　間違えたわ！」

「違うとは？」

「その、にんじんじゃなくて……ええと……」

全部嘘でしたとも言えず、とにかく二度と出てこなくても問題のないものをと、必死にテーブルの上に並ぶ料理を見回す。

とはいえ、国一番の料理人達が作る皇帝に出す料理に無駄などあるはずがない。

結局、半ばパニックになっていた私は、適当に一番奥にある皿を指さした。

「こ、これが嫌いなの！」

「…………」

その数秒後、私は自らの行動を心から悔いた。

「…………」

私の指はカリオラという木の葉を差しており、これは食用ではなく彩りをよくするために使われる飾り用のものだった。

カリオラが食べられないことは子どもでも知っている常識だし、アルバートも困惑したらしく目を瞬いている。

私達の間にはなんとも言えない沈黙が流れ、いたたまれなくなる。

「確かに美味しくないですよね。申し訳ありません、こちらを二度と出さないよう伝えておきます」

「えっ……」

けれどやがてアルバートはそう言って、気遣うような笑顔を向けてくれた。

絶対に彼はこんな葉を口にしたことなどないだろうに、私のプライドを傷付けないよう、食用だというていで嘘をついてくれているのだ。

あまりの優しさに、余計に辛くなってくる。

（さ、最悪だわ……）

可愛らしく甘えるつもりが、食用ではない葉について文句を言う、おかしな女になってしまった。

執事達もアルバートの指示に笑顔で従い「もう大丈夫ですよ」とでも言いたげな優しい表情を向けてくれる。

「うう……」

もう恥ずかしくて仕方なくて、それからは何を食べても味がしなかった。

翌日、勝手にアルバートとの恋愛相談相手に任命しているネイトにありのままの報告をしたところ、お腹を抱えて爆笑された。

「あはははは！　だから昨日の夜、アルバート様は思い悩んだ様子で『リデル王国にはカリオラを食べる文化があるのだろうか』なんて聞いてきたんですね」

「くっ……」

笑われて顔が熱くなるのを感じながらも、私のせいなので何も言い返せない。

その上、私の心底くだらない言動によってアルバートがあの後も思い悩んでいたと知り、穴があったら入りたくなった。

「それで次は何をしでかしてくれ……するつもりなんですか？」

「今してかすって言った？」

最近ではネイトも遠慮がなくなっており、失礼な物言いが増えている。

とはいえ、これまで私に対してこんな風に接してくる人はおらず、なんだか新鮮で悪い気がしないのも事実だった。

「とにかく、次こそ必ず成功させてみせるわ。アルバートのミスにつけ込んで、お願いをするの」

「そんなことをしなくとも、アルバート様はユーフェミア様のお願いなんて、いつでも聞いてくださるのでは？」

「私みたいに素直になれないタイプは、きっかけがあるといいらしいの」

「なるほど」

甘えるのが苦手な人、失敗してしまった人向けの方法も書いてあり、これは『いきなり甘えることはできなくとも、何か口実があればできる』という方法だ。

「ちなみにそのお願いというのは何をされるおつもりで？」

「……だ、抱っこしてほしいって言うの」

羞恥心を抑えつけながら答えると、ネイトは切れ長の目を瞬いた。

令嬢達は皆そうして過ごしていると言っていたし、かと言って私からアルバートの上に乗るなんてできそうにない。

そのため、導入部分はアルバートにお願いしようと思ったのだ。

「申し訳ありません、抱っこと聞こえたのですが」

「そう言ったわ」

「……なるほど。ユーフェミア様は思っていた以上に愉快な方ですね」

「愉快……？」

なぜそう思ったのか分からないけれど、ネイトは「とても良いと思います」と言ってぐっと握った右手の拳を掲げた。応援してくれる気ではあるらしい。

「でも、アルバートが何か失敗するとは思えないのよね」

「そうですね。ですが、ユーフェミア様がいれば、なんとかなるかもしれません」

「………？」

「僕に任せてください」

それから一時間後、私は何故かアルバートの執務室にて、ぴったり腕と腕が触れ合う距離で座り、帝国の新法に関する書類に目を通していた。

けれど隣のアルバートのことが気になって、さっぱり内容が頭に入ってこない。

――どうしてこうなったかと言うと、もちろんネイトのせいだった。

『ユーフェミア様のお部屋も執務室も大掃除中で、お仕事をされる場所がないようなんです。ですから、こちらでご一緒されるのはいかがでしょう？』

『？？？？？』

任せてくださいと言うネイトの後をついていき、アルバートの執務室に到着した途端、彼はそんな無理のある訳の分からない提案をした。

何を言っているんだと突っ込む前に、アルバートが口を開く。

『そうでしたか。この部屋でよければ、ぜひお使いください』

『あ、ありがとう……』

アルバートは笑顔で受け入れてくれて、調子に乗ったネイトは広い執務室であるにもかかわらず、アルバートの真横に私の椅子を用意した。

『どうぞ、ユーフェミア様。では僕はこれで』

『…………』

そして言いたいことだけ言って、ネイトは退室してしまう。

（あの男、絶対に面白がっているだけよね……!?）

執務室の真ん中に立ち尽くしていると、書類にペンを走らせていたアルバートはその手を止め、気遣うような視線を向けてくる。

『ユーフェミア様？』

『な、何でもないわ』

（これで椅子の場所を変えたら、私がアルバートの隣が嫌だと思っているみたいになるかもしれないし）

それに仕事中ではあるものの、距離感的には恋人らしい気がする。

その後はなんとか平静を装い、アルバートの隣に腰を下ろし、今に至った。

静かな執務室に、ペンを走らせる音と書類を捲る音だけが響く。

時折ちらっとアルバートの美しい横顔を盗み見ながら、心臓の音が聞こえてしまわないかとドキドキしていた私は、不意にはっと我に返った。

（そうだわ、アルバートのミスを指摘しないと！）

これではただ密着して作業するだけという、完全無意味の状況になっている。

ネイトは「私がいればなんとかなる」と言っていたけれど、まさか邪魔をしろということだったのだろうか。

流石に己の欲のためにそんな申し訳ないことはできないと思いながら、彼の手元の書類へと視線を向ける。

するると先に沈黙を破ったのは、アルバートの方だった。

「俺は何か、ユーフェミア様に失礼なことを言ってしまいましたか？」

「えっ？　どうして？」

「怒らせてしまった理由が分からないんです。……申し訳ありません」

「………………」

眉尻を下げ、申し訳なさそうにするアルバートにそう言われてようやく、今の思い悩む私は怒っているように見えていたのだと気付く。

婚約者に甘えようとした結果、謝られてしまうなんて、こんな愚かで恥ずかしいことがあるだろうか。

私は「可愛げがない」と幼い頃から陰口を叩かれていたのを知っているけれど、自分でも本当にそう思う。

（……でも、誰かに甘えた経験なんてほとんどないんだから仕方ないじゃない）

私は両親はおろか兄妹、侍女にだってさえ甘えることが許されなかった。子どもの「ユフィ」として甘えたくらいしか経験がなく、正解が分からない。

ずっと自分のことを私は何でもできる、完璧だと思って生きてきたけれど、それは女王になる者として、魔法使いとして、というだけ。

人としては欠陥だらけで完璧なんてほど遠いと、今さら思い知らされていた。

「……ごめんなさい。具合が悪いのかもしれないって心配になっただけなの。ゆっくり休んでね。それだけよ」

やはり上手く伝えられなくて、それでもアルバートが大好きで大切だという気持ちを込めて、ぎゅっと両手を掴む。

「ユーフェミア様、俺は――」

「おやすみなさい」

そうして返事も聞かずに彼の部屋を出た私は、今日も見事に大失敗に終わったことで頭を抱えながら自室へ戻り、ベッドに倒れ込んだのだった。

第三章　ハヴェル・ヴィクルンド

結局アルバートに甘えることができないまま半月が過ぎた、ある日の昼下がり。

自室で仕事をしていたところ、突然アルバートがやってきた。

「アルバート？　もう会議は終わったの？」

「はい。そのことについてお話があります」

今日は隣国のヴィクルンド王国から大使が来ており、様々な話し合いがなされると聞いていた。

皇位継承争いが激化していたこともあって、オルムステッド帝国は近隣諸国との国交が途絶えていたため、珍しいなと思っていたのだ。

私はまだ婚約者でリデル王国の王女という立場のため、他国との政治的な場には参加しておらず、アルバートから話をされるまでは何も聞かずにいた。

けれど彼の暗い表情からは、何か問題が起きていることが窺える。私はドロテにお茶を用意してもらい、下がるようお願いした。

アルバートは静かにティーカップに口をつけると、口を開いた。

「……実は最近、とある犯罪組織による被害が広がっているんです」

「犯罪組織？」

「はい。今や我が国だけの問題ではなくなっています」

アルバートの話によると、この大陸の中心にあるオルムステッド帝国の北側に面しているヴィクルンド王国も被害に遭っているという。

犯罪行為は人身売買や麻薬、武器の密輸入など多岐にわたり、その規模は広がり続けているらしい。

最近、行方不明者が増えているという噂は聞いていたけれど、まさか百五十年前に大陸内で禁止された人身売買が行われていたなんて。

「その犯罪組織は『ノヴァーク』と名乗っているようです。中でも一番手を焼いているのが、魔物による被害です」

「……魔物？　どういうこと？」

「組織は魔物を操る術を持っているようで」

「なんですって?」

本来魔物というのは、人間と意思の疎通すらできない。

私は過去に魔物についての研究にも携わっていたけれど、従える方法など聞いたことがない。

「とても信じられないけれど、本当にそんな力を持っているのなら、被害が一気に広がったことにも納得がいくわ」

「はい。人々の魔物に対する恐怖心はかなりのものですから。話によると国境沿いのスイレナという町を占拠し、本拠地にしているそうです」

魔物はおぞましい姿をしている上に、人間を捕食対象として認識している。

魔法や戦う術を持たない人々からすれば、命を脅かす何よりも恐ろしい存在に違いない。

そんな魔物を従えているとなると、恐怖により彼らの言いなりになってしまう者も多いはず。町ひとつ制圧するのだって、造作のないことだっただろう。

「結果、ヴィクルンド王国と協力して対策を講じることになりました」

アルバートの言葉に、思わず目を瞬く。

オルムステッド帝国もそうだけれど、ヴィクルンド王国も他国と協力なんてしそうになかったからだ。

国王が厄介(やっかい)な男で「他国の力など必要ない」なんて言いそうなものなのに。

(けれど、それくらい状況は悪いってことなんでしょうね)

大陸で禁止されている人身売買はもちろん、麻薬だって過去、薬ひとつで滅んだ国があるくらい危険なものだ。

それに相手が国を跨(また)いで犯罪を犯しているとなると、他国での武力行為に関しては色々な制約があるし、戦闘になった場合には多くの不都合が生じるはず。

国際犯罪組織を壊滅させるためには詳細な情報や迅速な対応が必要となるため、ヴィクルンドとの密な連携が不可欠だろう。

正しい選択だと思いながら、アルバートの話に耳を傾ける。

「来週には我が国にヴィクルンドの騎士団がやってくる予定です」

「そう。よければ私も会議に参加させてちょうだい、少しは力になれるはずよ」

「ありがとうございます」

魔物の討伐経験だってあるし、魔法に関してはヴィクルンドの騎士達に劣らない自信はある。

過保護なアルバートが私を戦場に出してくれるとは思えないけれど。

それに魔物を操るということに関しても、気がかりだった。これまで学んできた魔法や魔物についての知識も生かせるはず。

——私を温かく迎えてくれた、生涯暮らしていく帝国を守りたい。

そんな思いを胸に、私も解決のためにできる限りのことをしようと決めた。

それからアルバートは通常の国務に加え、組織の調査、そしてヴィクルンド王国の一団を迎えるための準備に追われ、多忙を極めていた。

いつ休んでいるのかと不安になるほどで、彼の副官達と協力し、王国の対応に関しては任せてもらうこととなった。

（リデル王国でもヴィクルンドとは国交があったし、問題はないはず）

アルバートは私も忙しくしているのを見ては申し訳なさそうにしていたけれど、もっと頼ってほしいくらいだった。

そしてなんとか準備を終え、ヴィクルンドの一行が帝国を訪れる当日。

時間通りに到着したという報告を聞き、出迎えるために正門へと向かった。

(さすがヴィクルンドの精鋭達ね。どの騎士も魔力量が多いわ)

そこには大勢の騎士の姿があり、軽く見渡しただけでも、彼らがかなりの強さを持っていることが窺える。

ネイトをはじめとする帝国の騎士達の実力もかなりのものだし、二国の騎士達が協力すればきっと迅速に終息に向かうだろう。

(それにしてもやけに騒がしいわね。何か予定外のことがあったのかしら)

まずは今回の王国側の代表である、騎士団長と話をしようと思った時だった。


「ユーフェミア、会いたかったぞ!」


「……は?」

突然がばっと抱きつかれ、視界には漆黒が広がる。

嗅ぎ慣れない香水の香りと温もりに包まれ、異性に抱き締められているのだと理解するのに少しの時間を要した。

「──何の権利があって、この私に触れているのよ!」

反応が遅れてしまったものの、すぐに身体の間に手のひらを滑り込ませ、相手に向けて風魔法を放つ。

予定では数メートル先の壁まで吹っ飛ばすつもりだったけれど、相手は瞬時に発動させた同程度の風魔法で完全に威力を相殺し、数歩あとずさる程度だった。

「いやあ、相変わらず容赦がないな。そんなところも好ましいが」

「……ハヴェル」

楽しげに笑ってみせた男の整いすぎた顔には、見覚えがある。

彼こそがヴィクルンド王国の現国王である、ハヴェル・ヴィクルンドだった。

「久しぶりだな。死んだと聞いていたが、元気そうじゃないか」

「お陰様でね」

友好国の王族同士としてハヴェルとは幼い頃から何度も顔を合わせており、彼は昔からやけに私のことを気に入っていた。

『なあユーフェミア、将来は俺がお前を娶ってやるよ』

『寝言は寝て言いなさい』

何度も求婚されていたものの、女王を志していた私はもちろん他国に嫁ぐつもりなんてなかったし、悩むことすらなく断り続けていた。

（そもそも俺様な男って、好みじゃないもの）

私自身が高飛車なタイプだし、同じような性格では常に喧嘩が起こりそうだ。

そう思うといつだって穏やかで私を尊重してくれるアルバートとは、相性がいいのかもしれない。

「相変わらずお前は美しいな。お前以上に綺麗なものを俺は見たことがない」

「はいはい、そうでしょうね」

「その自信に溢れたところも良いな。いい加減、我が国に来ないか」

「…………」

いつも通り適当にあしらおうと思ったけれど、しばらく会わないうちに第十一王子だった彼は国王の座を継いでおり、今は私よりも立場が上なのだ。

（こんなことをしていては、国王としての威厳も何もないでしょうに）

周りの目もあり余計に面倒だと思っていると、コツコツと足音が近づいてきて、

不意に視界がぶれた。

「誰に向かって口を聞いている？」

「よお、アルバート。相変わらずしけた面してんな」

抱き寄せた私の身体にきつく腕を回したアルバートは、静かな怒りを滲ませなが

らハヴェルを睨んでいる。

気安くアルバートの名前を呼ぶハヴェルの態度を見る限り、二人もそれなりに関わりがあったのかもしれない。

「次にユーフェミア様に触れたら、その手を切り落とす」

「ははっ、やってみろよ。そもそもお前がユーフェミアを婚約者にしたと聞いた時は驚いたが、本当に惚れてるんだな」

「ああ」

はっきり言ってのけたアルバートに、ハヴェルのグレーの瞳が見開かれる。

けれどすぐに楽しげに細められ、ハヴェルは声を立てて笑った。

「いやあ、さすがだなユーフェミア。アルバートすら虜にするとは」

「ユーフェミア様に関わるな」

一触即発な二人に、辺り一帯の温度が下がっていく。

漏れ出した濃い魔力により、周りにいた騎士達が息を呑む。

「とにかく、今はこんなことをしている場合じゃないでしょう。そもそも国王であるあなたが直接来るなんて聞いていなかったわ」

「俺が来ると知っていたら、お前はどうせ避けて現れなかっただろう？　だから驚かせてやろうと思ったんだ」

「………」

本来、他国の国王を迎える場合は様々な準備や手続きが必要だというのに。相変わらずどうかしていると、深い溜め息が漏れる。とはいえ、非はハヴェルにあるのだし、多少は適当な扱いをしても許されるはず。

早速予定が狂ってしまい、頭が痛くなる。

「我が国もかなりの被害を受けているからな。国王であるこの俺が直接殺してやるのもいいだろう」

そう言って笑うハヴェルの魔力量は、一介の騎士とは比べ物にならない。アルバートにも劣らないほどの彼は、かなりの力を持つ魔法使いだ。

――この世界は魔法至上主義であり、第十一王子だったハヴェルが若くして国王の座に就いたのは、最も優れた魔法使いであることも理由のひとつだろう。

予想以上に早く解決しそうだと、息を吐く。

「それにしても、お前が兄王子に王位継承権を譲って帝国へ嫁ぐとは意外だった。どういう風の吹き回しだ？」

「あなたには関係ないでしょう」

「そもそも婚約者というほど、アルバートと親しげには見えないが？　政略結婚の夫婦でも、もっと甘い雰囲気を出すがな」

やはり側から見てもそうなのかと内心ショックを受けつつも、平静を装う。

「そろそろ口を閉ざさないと、ヴィクルンドまで転移魔法でふっ飛ばすわよ」

「ははっ、お前なら本当にやってのけるんだろうな。あれから大陸中から妃候補を探したが、ユーフェミア以上に良い女はいなかったよ」

「舌を切り落とされたいのか」

アルバートの声は聞いたことがないほど低いもので、怒りが伝わってくる。

目の前で婚約者を堂々と口説かれているのだから、二国間の協力という今回の目的のためにアルバートが堪えなければ、今頃は大問題になっていただろう。

一方、楽しげに笑うハヴェルに、反省する様子はない。

ハヴェルだってそれを分かっている上で言っているのだから、たちが悪かった。

「悪いが俺はユーフェミアを諦めるつもりはない。この女の価値をお前は分かっているのか？　本来なら皇妃という立場に収まるのがもったいないくらいだ」

そう分かっていて俺も花嫁に望んでいるんだがな、とハヴェルは口角を上げる。

（昔からハヴェルは私を評価してくれていたのよね。迷惑だけれど）

ハヴェルは実際私という人間には全く興味がなく、私の能力や功績を買っているからこそ求婚してきていたのだ。

性格はさておき魔法に関する能力値で言えば、この大陸に私よりも優れた女性などそうそういない。

ハヴェルはヴィクルンド王国を愛し、国を強くし栄えさせることに心血を注いでおり、そのためには私が「最も条件の良い相手」だと思っているのだろう。

「私は今も昔もこれからもあなたに嫁ぐ気なんてないから、諦めなさい」

「手厳しいな」

だが、と口角を上げたハヴェルはアルバートに向き直った。

「この件が解決した後、俺と勝負をしないか？　お前が勝てば、ユーフェミアをきっぱり諦めてやる」

「はあ？」

偉そうに何を言っているんだと、呆れた声が漏れる。

そもそも諦めるも何もハヴェルが勝手に言っているだけなのだし、婚約者という立場のアルバートが気にする必要なんて一切ないのだから、放っておけばいいだけ。

（まあ、どうせアルバートも相手になんてしないでしょう）

いつもの冷静な彼なら、鼻で笑うくらいして受け流すと思っていたのに。

「いいだろう。受けて立つ」

「……なんですって？」

「その代わり俺が勝てば、二度とユーフェミア様に関わるな」

まさかの反応に、口からは間の抜けた声が漏れる。

驚いて見上げた先にあったアルバートの端正な顔には、はっきりと苛立ちが浮かんでいた。

困惑する私をよそに、ハヴェルは片側の口角を上げる。

「ははっ、やっぱりお前は面白いな」

ハヴェルも心底楽しげにしていて、再び頭が痛くなってくる。

なんだか厄介なことになったと、口からは大きな溜め息が漏れた。

「ま、とにかく話は全て解決した後だ。楽しみにしてる」

「手足を失ったとしても、文句は言うなよ」

「………………」

こんな調子で協力なんてできるのだろうかと、心配していたのだけれど。

子どものような喧嘩をしていたアルバートとハヴェルも、大臣達や騎士団長との会議においては、各国の問題を解決するために真剣に議論を重ねていた。

「麻薬は貨物等へ隠蔽されて運ばれ、何も知らない民を使い捨ての売人にしているようです。麻薬と共に武器の密輸も確認されています」

「麻薬に関しては、引き続き取引情報を集めてくれ。中毒症状の者の治療の専門施設の開設も進めるように」

麻薬は民の間で広がっており、麻薬だと知らずに摂取してしまい、抜け出せなくなるケースが多いようだった。

かなり中毒性が強く離脱症状に苦しみ、乱用を繰り返す民の治療にも、国をあげて尽力していくという。

「人身売買については攫った若い女性と子どもを他国に売っているようです。罪が重い分慎重になっているのか、ヴィクルンドの民達も我が国に一度連れてきているようです。監禁している場所の特定もまもなくかと」

「そうか。特定次第、救出に向かう。これまでの取引の調査も進めてくれ」

「かしこまりました」

何の罪もない女性や子どもを攫って売るなんて、許されるはずがない。

必ず全ての被害者を救い出し、組織の人間達を裁いてみせると、ふつふつと怒りが込み上げてくる。

「……本当、胸糞悪いな。殺しても足りねえわ」

「ああ」

アルバートもハヴェルも、心底苛立っているようだった。それぞれ国の長として国や民を愛する気持ちに変わりはない。

「本拠地を叩くのはもう少し潜入捜査が進んだ後の方がいいだろう。あの町には元々暮らしていた者達もまだいるから、人質に取られる可能性もある」

本拠地の町は完全に封鎖されており、迂闊（うかつ）に手出しできる状況ではないという。

まずは組織の実態や構成などの分析を行い、戦略を練る必要がある。

その後、内偵を行って民の安全を確保した上で制圧しなければならない。

「さっさとぶっ潰してえのにな」

「急（せ）いてしまう気持ちは分かるけれど、慎重にいきましょう」

引き続き調査を進めつつ明日、明後日には騎士達とハヴェルが監禁されているであろう場所に向かうことが決まったのだった。

その日の晩、私はアルバートの部屋を訪れていた。

『ユーフェミア様、無理矢理でもアルバート様を休ませてくれませんか？　数日まともに休まれていないですし、本日の分の仕事は僕達が終わらせておきますから』

『分かったわ。任せてちょうだい』

ネイトに頼まれ、無理やり仕事を中断させて執務室から連れ出したのだ。アルバートは私の誘いを絶対に断ることはしないため、あっさりついてきてくれた。

ちなみにハヴェルから「今夜、一緒に飲まないか」という馬鹿げた誘いを受けたけれど、聞こえなかったふりをした。

そして今は私が手ずから紅茶を入れ、アルバートに振る舞っている。

「とても美味しいです。ユーフェミア様はお茶を淹れるのもお上手なんですね」

「そう？　これくらい見ていればできるわ」

さらっと言ってのけたけれど、本当はアルバートにさっとお茶を淹れてあげられるようになりたくて、サビナに特訓をしてもらった。

皇帝であるアルバートは日頃、誰よりも良いものを飲んでいるのだ。舌も肥えているだろうし、不味いなんて思われては立ち直れない。

しばらく甘える作戦は休止し、疲れているであろう彼を労いたい。

そう、思っていたのに。

「……なんだか今日、近くないかしら」

「嫌でしたか」

「そ、そんなことはないわ！」

アルバートがやけにぴったり隣に座っていて、常にドキドキしていた。

落ち着こうと私もティーカップに口をつけると、温かさとほんのりとした甘さにより心がほっとしていく。

「そもそも、あなたとハヴェルは顔見知りだったのね。顔見知りというより、どこか親しげにも見えたけれど」

「全く親しくはありませんが、過去に俺が何の立場もない頃、唯一味方をすると声をかけてくれたのがハヴェルでした」

「そうだったのね」

なんとなく、そう言ったハヴェルの姿が想像できる。彼は私同様、姑息で陰湿な人間が嫌いだった。

だからこそ、アルバートに対する心配というより、彼を虐げていた皇妃や兄皇子への反発からだろうと想像がつく。

アルバートの声音や表情からは、ハヴェルを好ましく思っているのが窺えた。

ハヴェルが私に余計なことさえ言わなければ、本来は良好な関係なのかもしれない。

「そもそも、どうしてハヴェルのあんな話を受けたの？」

「二度とユーフェミア様に対して愚かな真似ができないよう、叩き潰そうと思っただけですよ」

アルバートは美しい笑みを浮かべ、そう言ってのけた。

日頃、誰よりも穏やかで優しい彼らしくない発言に、少し驚いてしまう。

「……幻滅しましたか？」

そんな私を見た彼は、形の良い眉尻を下げた。

「ううん。アルバートがそういう風に言うのが少し意外だっただけで」

「俺もです。自分がこんな子どもじみたことをするとは思いませんでした」

自身の手のひらに視線を落としたアルバートは、自嘲するように笑う。

「そうなの？」

「はい。嫉妬なんて、ユーフェミア様以外にしたことがありませんから」

はっきりと「嫉妬」と言ってのけたアルバートに、どきりとしてしまう。

アルバートに出会ってからというもの、私は自分らしくない感情に振り回されているけれど、彼もまたそうなのかもしれない。

「自身の立場を考えれば、愚かな行動だとは分かっているんです」

「でも、私は嬉しいわ。それくらい私のことがす、好きってことだし」

アルバートの表情に罪悪感の色が見えて、すぐに否定をする。

するとアルバートは目を瞬いた後、ふっと口元を緩めた。

「ありがとうございます。その気持ちだけは、誰にも負けません」

膝の上に置いていた手を、そっと包まれる。嬉しくて心が満たされていくのを感じながら、私はこくりと頷いた。

「とにかく早急に組織を壊滅させ、ハヴェルを国に送り返します」

「ふふ、そうね」

「今もユーフェミア様と同じ屋根の下にいると思うと、苛立って仕方ありません」

こんなにも不機嫌さを露わにしているアルバートは珍しく、新鮮で。それも私への嫉妬心からだと思うと、嬉しいと感じてしまう。

私もできる限り協力すると伝えれば、アルバートは「ありがとうございます」と微笑んでくれた。

「ちなみにそのお茶、疲労にとても効くし快眠効果もあるのよ。私が開発したものだから、効果も保証するわ。効果が出るまで十分くらいはかかるけれど」

「……最近も眠りにつくまで時間がかかるので、助かります」

アルバートがいつも深夜まで仕事をしているのは、不眠症でなかなか寝付けないというのも理由のひとつだそうだ。

「何か良い方法があればいいのに……」

「俺も色々試してみてはいるのですが、難しくて」

お茶だけでは解決に至らないだろうし、他にも色々とアルバートの身体を休める方法を考えたものの、思いつかなかった。

私が疲れた時はメイド達にマッサージをよくしてもらうけれど、アルバートは他人に触れられるのが好きではないため、嫌だと聞いている。

『ユーフェミア様だけが特別なんです』

そう聞いた日の夜、眠る前にベッドでじたばたした記憶がある。

ネイトには「しっかり寝かしつけてくださいね」と言われているし、アルバートが眠りにつくまで確認するつもりだった。

そんな中、子どもの姿の頃はネイトに騙(だま)され、アルバートと毎晩一緒に眠っていたことを思い出す。

（あの頃はアルバートも、すんなり寝ていた気がするのよね）

その理由も、なんとなく分かる気がする。

アルバートはいつも私を抱き締めながら眠っていて、その優しい温もりはとても心地良くて安心して、私もこてんと一瞬で寝落ちしてしまっていた。

誰かの体温というのは、快眠に繋がるのかもしれない。

「一緒に寝てみる？」

「はい」

「なんて冗談……えっ」

そんな日々を懐かしみ、軽い気持ちでそう言ったところ、アルバートは即答するものだから、手に持っていたティーカップを放り投げそうになった。

「えっ……え……？　本気？」

「はい。ユーフェミア様は違うんですか？」

悲しげな表情でじっと見つめられ、今更「冗談でした」とは言いづらい。

とはいえ、本当に今アルバートと一緒に眠るなんて、無理に決まっている。

あの頃はアルバートへの恋心を自覚していなかったし、婚約中の身、それも大人の姿では色々とまずい気がしてならない。

どう反応しようかとぐるぐる頭を悩ませていると、アルバートの大きな手のひらが私の頭の上に乗せられた。

「冗談ですよ。すみません」

「……子ども扱いしていない？」

「いいえ。でも、照れているお姿も可愛いなと思いまして」

ほっとする一方で、心のどこかで少し寂しく思ってしまったなんて、口が裂けても言えそうにない。

それにアルバートもきっと、私が「本気」だと言えば、本当に一緒に眠ろうとしていたような気がしていた。

（もっと可愛らしく、上手くできたらいいのに）

それでも過去の自分に比べればほんの少しずつは成長していると信じたいし、これからはもっとアルバートと婚約者――恋人らしい関係を築（きず）いていきたい。

そう、思っていたのに。

「……う、うそでしょう」

数日後、再び子どもの姿に戻ってしまうなんて、私は想像もしていなかった。

第四章　ユフィとユーフェミア

　ハヴェルやヴィクルンド王国の騎士団が訪れた二日後の昼過ぎ、仕事に一区切りつけた私はアルバートが造ってくれた薔薇庭園へ向かっていた。

　薔薇庭園では一人で過ごしたいため、侍女達の同行も断っている。

　最近は一息つきたい時、庭園で過ごすことが多い。

　素晴らしい薔薇が咲き誇っているのはもちろん、細部までアルバートからの想いの籠もった場所だというのも心を満たしてくれ、癒してくれた。

（ここ最近は身体の調子もいいし、少し休んだら午後からも仕事を頑張らないと）

　次の角を曲がったところで到着する、というところでばったり、今一番会いたくない相手に出会してしまった。

「よお、ユーフェミア。奇遇だな」

無駄に整った顔を近づけてくるハヴェルに対し顔をしかめてそらすと、ハヴェルは楽しげに喉を鳴らす。

その後ろでは黒髪で丸眼鏡をかけた彼の従者が、丁寧に礼をしている。彼は確かヤンという異国出身の側近で、昔からハヴェルに仕えていた。

「ははっ、酷いな。こうしたら女は皆喜ぶんだが」

「そう、良かったわね」

――ノヴァークという組織の存在や犯罪は、あまり民達に知られていない。

それでいて被害は急激に着実に広がっているということを考えると、組織の手口が狡猾(こうかつ)であることが窺える。

二国間で対策を講じるほどだと民に知られれば、混乱や不安を招くはず。

そのため、今回彼らが帝国へ訪れた表向きな理由は国際交流となっている。

「昨日のパーティーでも人気だったものね」

「俺はどこでも人気だぞ？」

「…………」

その手前、昨日は彼らや上位貴族の一部が参加する、形式上の歓迎パーティーが王城にて開かれた。

帝国の貴族令嬢達はハヴェルに気に入られようと、手を替え品を替え、アピールしていたことを思い出す。

（まあ、確かに理由も分かるわ）

一代でヴィクルンド王国をさらに発展させた上に、魔法使いとしても優れた彼の堂々とした態度は、人を惹(ひ)きつける。

そして私は好みではないものの、恐ろしく綺麗な顔をしていた。

ルビーに似た強い熱を秘めた瞳にすっとした高い鼻筋、形の良い薄い唇。

誰でも見惚れてしまうくらいの圧倒的な美貌(びぼう)は「魔性(ましょう)」なんて呼ばれていて、老若男女が虜になるんだとか。

じっと顔を見つめていると、ハヴェルは軽く首を傾げた。

「どうした、俺の顔にでも見惚れたか？」

「そうね」

「……は」

美しい顔の作りに見惚れていたのは事実だからと肯定すると、ハヴェルは切れ長の目を見開いた後、パッと私から顔を逸らす。

その上、顔の大半を腕で覆っており、妙な行動に私が首を傾げる番だった。何かを堪えているように見える。

「何よ、そんなに私があなたを褒めるのがおかしかった？」

「……別に」

「そう、じゃあね」

特に用もないし、アルバートに妙な誤解をされても困る。さっさと立ち去ろうとしたところ「待てよ」と引き止められた。

「今も真面目に会議をしてきたところだってのに。少しは労えよ」

「何か分かったの？」

「ああ。例の監禁場所だが二箇所に絞れたそうだ。二日後には制圧に向かうらしいから、お前も準備しておけよ」

「あなたと騎士団が向かうんでしょう？　なんで私まで行く必要が？」

「魔物もいるだろうし、ゴリラみたいなお前がいた方が楽だろ」

「ご、ごり……！　なんてことを言うの！」

女性、それも誰よりも美しいこの私をゴリラ扱いなんて信じられないと、拳を握って目の前にあったハヴェルの肩を殴る。

すると「そういうところだろ」「普通のか弱いお姫様は手なんて出さねえよ」と

言われてしまい、何も言えなくなった。

（この男、私のことなんて絶対好きじゃないわ！　どうせ仕事を丸投げできて魔物をホイホイ殺せて、強い魔法使いを産む都合のいい女だとしか思っていないもの）

憤慨しながら立ち去ろうとしたところ、再び引き止められた。

「それと悪いが、お前の魔力を少し分けてくれないか」

右手を差し出したハヴェルの中指では、大きな真っ赤な宝石が輝いている。

この指輪は「魔力吸収」「複製魔法」が付与された国宝級の魔道具――古代魔道具と呼ばれている。

吸収した魔力の持ち主の力を一部得られるという、恐ろしく貴重なものだ。

魔力を奪った相手によってはどんな魔法をも得ることができる代物で、持ち主が彼のように正しく使用する者で安心したほどだった。

――この世に古代魔道具は七つ存在すると言われており、どれも使い方によっては国を傾けるほどの力を持つ。

誰もが欲しているものの、大半は所在すら分かっていない。

ハヴェルの持つ指輪、南大陸にある大国の王が持つネックレスなど、現在明らかになっているのは三つのみ。

(私ですらお金と時間をいくら費やしても、ひとつも手に入らなかったのよね)

それらを探すより自ら魔法を学んで力をつける方が早いと気付いてからは、宝石の収集に力を入れていた。

「……仕方ないわね」

そして私は幼い頃から、彼のこの指輪に何度も魔力を込めてあげていた。そうすることで、彼も私の「魔眼」を使えるようになるからだ。

本来なら簡単に譲るような力ではない。それでも私は、ハヴェルが「正しい人間」だということを知っている。

腹立たしい時も多いけれど、国のために正しくこの力を使っていることも。

(その代わりに、貴重な宝石なんかを贈らせていたしね)

仕方なく指輪に手をかざし、魔力を込めていく。

「ユーフェミア、何か困っていることはないのか？」

「あったとしても、お前には言わないわ」

「だよな。そもそも俺を含め、誰にも絶対に言わないだろ」

「…………」

付き合いが長いこと、洞察力が鋭いこともあって、ハヴェルは私をそれなりに理解しているらしい。

否定できず、口を閉ざしたまま魔力を指輪に流し続ける。

やがて指輪に魔力が入らなくなり、満タンになったのを確認した私は、かざしていた手のひらを下ろした。

「これでいい？」

「ああ、十分だ。助かった。お前は問題ないか？」

普通の魔法使いならこの指輪に限界まで魔力を込めた場合、かなりの疲労感を覚えただろう。

けれど私であれば、これくらい造作もないことだった、はずなのに。

「ええ、大丈――っ」

再び庭園へ向かおうとした途端、心臓がどくんと大きく波打った。

「……っ、う……」

同時に強い目眩がして、胸元を押さえながらその場に膝をつく。

「おい、ユーフェミア！　どうした？」

すぐにハヴェルが私の目の前にしゃがみ込み、両肩を掴まれる。

ここ数ヶ月、何度も経験した症状で、今更驚きはしない。それでもやはり、身体に問題がないとは思えない。

先日診てもらった侍医は国一番の医者だと聞いているものの、別の医者にも再度診てもらう必要がありそうだ。

「大丈夫か？　すぐに医者を――」

いつものようにすぐに症状は治まっていき、大丈夫だと伝えようとした瞬間、ハヴェルはひどく驚いた表情を浮かべ、固まった。

ハヴェルのこんな間抜け面（づら）は初めて見たと思いながら、違和感に気付く。

お互いに膝をついているはずなのに、やけにハヴェルを見上げているのだ。

「――え」

そしてふと足元を見た私もきっと、今のハヴェルと同じ顔をしていたと思う。

ぺたんと地面に尻もちをついたことで、オーダー品の私の身体にぴったりだったはずのドレスがずるりと肩から下がり、慌てて摑む。

「……う、うそでしょう……」

なんと私の身体は再び、子どもの姿になっていたのだ。

慌てて目を向けた手も小さくて、触れた頰は柔らかくて丸みを帯びている。

（どうして？　何が起きたの？）

数ヶ月前に魔力を貯めておく器官が完治してからは、こんなことは一度も起きていなかったし、もう二度と子どもの姿になることなんてないと思っていたのに。

頭が真っ白になり呆然としていると、遠くから女性の話し声が聞こえてきた。

この姿を見られては困ると、固まっているハヴェルの肩を摑んだ。

「今すぐ私を連れて、転移魔法で人気のないところに移動して！　早く！」

「分かった。――ヤン」

「承知いたしました」

必死にそう伝えるとハヴェルはすぐに私を抱き上げてヤンに目配せをし、瞬時に転移魔法を展開する。

彼が側近に何を伝えたのかは分からないものの、私達の足元は赤く光り、まばたきをした次の瞬間にはもう、目の前の景色は変わっていた。

「……ここは？」

「俺の部屋だ」

どうやらここは、王城内のハヴェルが滞在している客室らしい。

「……ありえないわ」

ハヴェルとヤン以外には姿を見られなかったことに安堵しつつ、とんでもないことになってしまったと、内心頭を抱えた。

ドレスを魔法で子ども向けのサイズに縮め、ぴったりになったことを確認する。

そして私を軽く抱き上げたまま、まるで珍獣でも見るかのような視線を向けてくるハヴェルに声をかけた。

「魔力のお礼は今の転移魔法でいいわ。それと今見たことは全部忘れて、他言無用でお願いね。降ろしてちょうだい」

そう言って降りようとしても、がっちり両腕で摑まれていてびくともしない。

「ちょっと、聞いてる？」

「いやいやいや、この状況ではい分かりましたで終わるわけないだろ」

ハヴェルは呆れた声を出すと、片手で私の頰をぎゅっとつねる。

次の瞬間にはぺたぺたと身体中に触るものだから、口からは悲鳴が漏れた。

「へえ、本当に子どもの身体なんだな」

「きゃあああ！　な、なんてことを……！　殺すわよ！」

羞恥でいっぱいになった私はハヴェルに両手を向け、風魔法に水魔法を組み合わせたものを繰り出した。

先日と同じものだと思ったのか、風魔法だけ魔法で防いだハヴェルの顔にぱしゃんと水がかかり、私を摑む手が緩んだ隙に飛び降りる。

「つっめてえ……」

「ふん、私が同じ手を何度も使うと思わないでちょうだい！」

　そもそも私に気安く触れて、命があるだけ感謝してほしい。

　水で濡れた少し長い髪をかきあげるハヴェルは、酔ってしまいそうなくらいの色気が滲み出ている。

　色気がないという自覚のある私は、内心少しだけ羨（うらや）ましく思ってしまった。

「それで、その愛らしい懐かしい姿はどうしたんだ？　理由を聞かないままだと、周りに言いふらしちゃうかもな」

「……本当にお前のこと、嫌いだわ」

　このまま自室へ戻ろうとしたものの、間違いなく面白がっているハヴェルは、私が説明しなければ納得しないだろう。

　仕方なく、これまでのことをかいつまんで話す。

「——というわけなの。だから私も正直、自分の身体に何が起きているのかは分からな……ハヴェル？」

　てっきり私が殺されかけた末に子どもになって拾われたなんて話、腹を抱えて笑われると思っていたのに。

ハヴェルは悲しげな、切なげな表情を浮かべていて戸惑ってしまう。私が家族や婚約者に裏切られたことに、同情しているのだろう。

「私は天才だから無事だったし、もう全く気にしていないわ。あいつらも罰されているから、今となってはどうでもいいことよ」

なんだか落ち着かなくていつもみたいに鼻で笑ってみせると、ハヴェルの大きな手のひらが近づいてきて、くしゃりと私の頭を撫でた。

予想外の行動に驚いたものの、今の私は小さくて愛らしい子ども姿のわけだし、より哀れに見えるのかもしれない。

ハヴェルはやはり腹立たしいけれど、なんだかんだ優しい一面もあった。

「……なぜ、アルバートだったんだろうな」

「えっ？」

ぽつりと呟かれた言葉に、引っかかりを覚える。

けれどぱっと普段通りの偉そうな笑みを浮かべたハヴェルは「何でもない」と言って、私の頬をぎゅっと再び引っ張った。

「不思議なこともあるもんだな。子どもになる魔法なんて聞いたことがない」

「だから困っているのよ。借りを作りたくないから、絶対にあなたは何もしないでちょうだいね」

「お前って本当に可愛げがないよな」

「知ってる」

そのせいで、アルバートにも可愛らしく甘えることすらできないのだから。

「もちろんアルバートは知ってんだろ？」

「……知らないわ。体調が悪かったことも言っていないもの」

そう答えると、ハヴェルは真っ赤な両目を瞬いた。

少しの後、右の口角を上げる。

「へえ？」

婚約者という立場でありながら、何も言わないなんて薄情（はくじょう）な女だと思っているに違いない。

それでも今のアルバートはかなり多忙なため、余計な心配はかけたくない。

きっと生死に関わるものではないし、民の命がかかっている目の前の事件を優先すべきだろう。

（でも、以前みたいに半年以上も戻らなかったら……？）

この姿では結婚式どころではないし、一人で抱えたままどうにかなる問題ではなかったらと思うと、冷や汗が出てくる。

どうしようと片手で目元を覆っていると、再び胸の苦しさと目眩に襲われる。

「……っ」

先程と同じ感覚に「まさか」と思った時にはもう、身体は元の大人の姿になっていた。ぺたぺたと自身の身体に触れ、ほっと胸を撫で下ろす。

「よ、良かった……」

何が起きているのか分からないものの、短時間で戻れて良かった。ひとまずは事なきを得た、と言ってもいいだろう。

ひとまず原因を探り、対策をしなければ。

「咄嗟に複数の魔法を組み合わせてドレスのサイズを変えるあたり、器用だよな。俺はそのまま足を出して見せてくれても良かったのに」

「……最っ低ね」

心底軽蔑しながら立ち上がった私は、軽くドレスのスカート部分を手で払う。

「でも、ありがとう。助かったわ」

転移魔法というのは、正確さが必要になる。

失敗すれば身体半分は置き去りにされる、なんて恐ろしい前例だってあった。

だからこそ先程の動揺したままの私では危険で、使うことができなかった。

「お前、礼とか言うんだな」

「………………」

昔からの知人に言われると、過去の私がどれほど傲慢な人間だったのかを思い知らされ、いたたまれなくなる。

今後も気を付けようと心に留めておき、ひとまず自室へ戻ることにした。

緊急事態だったとはいえ、この部屋に長時間いるのは良くない。

本当なら転移魔法を使って自室へ戻りたいけれど、私の仮説が正しければ魔法を使わない方がいいはずだし、急ぎ戻らなければ。

「それじゃ」

そうしてハヴェルに背を向けてドアに手をかけた瞬間、名前を呼ばれた。

「ユーフェミア」

「なに？」

「……少しは頼れよ」

主語のない、ハヴェルらしくない曖昧(あいまい)な言葉に困惑してしまう。

それでも心が温かくなるのを感じた私は「善処するわ」と小さく笑顔を返した。

ハヴェルの滞在している客室を出てぱたんとドアを閉め、これからのことを考えては気が重くなる。

（ただでさえ忙しいのに、本当に面倒なことになったわ）

ひとまず部屋に戻って再度自身の身体に起きている現象について調べようと、くるりと振り返った私は、息を呑んだ。

「え」

なんとそこには、強張(こわば)った表情を浮かべるアルバートの姿があったからだ。

その後ろではネイトが「うわあ」と言いたげな顔をしている。

婚約者がいる身で、自分を口説(くど)いている男性の部屋から出てくるなんて、誰がどう見たって誤解して当然の状況だろう。

「…………」

「…………」

最悪のタイミングで出会してしまったと、冷や汗が流れる。

「……ハヴェルの部屋で何をしていたんですか」

何か言い訳をしようと思っても、焦りで言葉が何も出てこない。

（もう、正直に言ってしまった方がいいのかもしれない）

私が黙り込んだままでいるせいで、アルバートの表情がさらに曇る。

最悪の誤解をされるくらいならと、全ての事情を説明しようとした時だった。

ドアが開く音がして振り返ると、ドアに肘を突くハヴェルの姿があった。

「よお、アルバート」

ドアの前で私が立ち止まったままな上に話し声が聞こえたせいで、何かあったのだろうと出てきたに違いない。

すぐに事態を把握したらしい彼は「あー、なるほど」と言って笑う。どうか余計なことを言わないでほしいと、縋るような視線を向ける。

「外で倒れかけたユーフェミアを一旦、転移魔法で運んだだけだ。この城に俺の部屋以外に分かる座標もないしな。お前の心配することなんて何もねえよ」

予想外のハヴェルの言葉に、驚いてしまう。

むしろ私とアルバートの関係を心配し、フォローしてくれているようで。アルバートの目の前で堂々と口説き、勝負まで挑んだ彼なら、この状況を利用して亀裂を入れようとするくらいに思っていたのだ。

（ハヴェルがこうして嘘をついてくれた以上、黙っておいた方がいいわよね）

心の中で謝罪と感謝をしていると、アルバートが口を開いた。

「倒れかけたというのは、大丈夫なんですか」

「え、ええ。昨晩なかなか寝付けなくて寝不足だったからみたい。一応は医者に診てもらうし問題ないわ。気にしないで」

「………………」

笑顔で誤魔化すと、アルバートは何か言いたげに薄く唇を開く。

けれどすぐに真横に引き結び、小さく笑みを浮かべた。

「……分かりました。ひとまず部屋までお送りします」

「ええ、ありがとう。ハヴェルも迷惑をかけて悪かったわね」

「ああ」

その後、アルバートに部屋へ送り届けてもらった私はソファに倒れ込み、右腕で目元を覆った。

姿が変わった負担によるせいか、身体が重くてだるくて仕方ない。

魔力は完全に回復したし、もう一年近く子どもの姿になっていなかったため、まさかこんなことになるとは思わなかった。

（けれど、なんとなく原因は分かる気がする）

――思い返せば子どもの姿から大人の姿に変化する時、その逆のパターンの時も決まって目眩がして心臓が波打った。

そして過去の原因は「魔力が減ったこと」によるもので、今もまた、魔力を消費した直後だった。

命懸けで脱出した際、私の異常な魔力量によって何らかの影響が起こり「身体の成長に見合った魔力量を保つ」という魔法が「体内の魔力量に見合った身体になる」といったものに変化したのではないか、と考えている。

（魔法の性質変化についても過去に少し学んだことがあるけれど、偶然の産物によるものが大半で厄介なのよね）

そして今も魔法の性質は変化したままで、魔力量が元に戻った今は大人の姿を保てているだけだとする。

そうなると魔力を消費した場合、身体が子どもに変化する可能性が高い。

（この仮説が正しければ、魔力を消費するたびに子どもの姿になるじゃない）

頭が痛くなってくるのを感じながら、早急に対策をしなければと決意した。

当時の魔法師団長が私にかけた魔法はかなり強いもので、これを解くには、しっかり解析をした上での解呪魔法が必要となる。

今の私にはそんな研究をする余裕はないし、周りには心配をかけたくはない。

「……そうだわ」

こんな時、最も使える人間がいたことを思い出し、机へ向かう。便箋（びんせん）と封筒、ペンを取り出すと、私は手紙を書き始めた。

私にかけられた過去の魔法についての文献も、リデル王国の書庫のどこかにあるだろう。周りには伏せた上で、詳しく調べるよう命じた文章を綴っていく。

もちろん、体調のことも伏せた上で。

手紙を書き終え、魔道具のベルでサビナを呼び出す。

ひとまず今私にできるのは、急ぎこの手紙を送ってもらうこと、そして魔力を消費しないようにすることくらいだろう。

「ユーフェミア様、お部屋にいらしたのですね」

すぐにやってきたサビナは私が庭園にいないことで、心配して王城内を探してくれていたらしい。

私は謝罪の言葉を紡ぐと、魔法で封をした封筒を手渡し、告げた。

「この手紙を至急、テレンスに送ってちょうだい」

翌日の深夜、私は憂鬱（ゆううつ）な気分で古代遺跡の中を歩いていた。

——私が魔力を消費することで子どもの姿になった、とまでは知らないハヴェルによって、無理やり駆り出されてしまったのだ。

（できる限りのことはすると言った以上、断れなかったのよね……）

そして多忙な中、私が行くならとアルバートまでついてきてくれて、今に至る。

例の奴隷として攫われた人々が監禁されている場所というのが、王都の外れにあるこの地下遺跡だった。

幽霊が出る、呪われている、魔物が出る、なんて噂から、もう誰も寄り付かない場所らしい。

既に詳細な遺跡の調査も終わっており金目のものもないと知られているため、盗賊すら寄り付かないという。

だからこそ、監禁場所としては最適だったのだろう。

外の見張りはそれなりにいたものの、ハヴェルとネイト、騎士達があっさりと倒してくれた。

「お前、よく平気な顔をしてスタスタ歩けるよな」

地下へと進んでいく中、少し後ろを歩くハヴェルが小馬鹿にしたように笑う。

暗くて寂(さび)れた遺跡というのは、やけに不気味だった。普通の女性なら怯えて泣き出して歩けなくなるに違いない。

それでも、私からすれば大したことではなかった。

「一人でここで一晩野宿しろと言われても平気よ」

ふんと鼻を鳴らしたところで、私はハッと口元を覆った。

（きっとこういうところが可愛げがないんだわ！）

ちらりと隣を歩くアルバートを見上げると、私の視線に気付いたのかふわりと微笑んでくれた。

「ユーフェミア様は勇敢ですね」

「ただ慣れているだけよ」

遺跡自体は広いものの道は狭く入り組んでいて、大勢で制圧するには向かない。

そのためネイトをはじめとする帝国の騎士、王国の腕の立つ数人の騎士が私達の後ろに控えている。

皇帝と国王、そして王女である私まで自ら足を運んで救出に向かうというのは本来あり得ないことだけれど、戦力としてこれ以上はないだろう。

「どうか無理はなさらないでくださいね」

「ええ、あなたも。念には念をと思って、魔道具もこれだけあるから安心して」

念には念をというのは言い訳で、今の私は自身の魔力を使わずに済むよう、過去に作ったアクセサリー型の魔道具を全身に身に着けている。

恐ろしくギラギラした派手な装いになってしまい、これらが魔道具だと知らない人々が見れば、贅を極めたお気楽な女に見えるに違いない。

そもそもアルバートやハヴェルが側にいれば、私の出番はなさそうだ。

（とにかく迅速に、確実に済ませないと）

魔物を従えるという件に関しては、分からないことが多い。

戦場にもなりうるこの場所に一般の研究者を連れてくることはできないし、知識のある私は分析をしっかりしなければ。

「アルバート、誰に『無理はするな』なんて言ってんだ？　その辺の魔物が百匹かかってもこの化け物は倒せないだろ」

「誰が化け物よ。お前を囮にしてやろうかしら」

「戦闘になってお前の首を飛ばしてしまっても、文句は言うなよ」

アルバートも一緒になってハヴェルに言い返してくれて、小さく笑みが溢れる。

なんだかんだ空気は悪くなく、上手く協力できたらいいなと思いながら歩みを進めていた私は、ぴたりと足を止めた。

「――五十メートル先、五体魔物がいるわ。うち一匹がBランク程度かしら。後は雑魚だから問題なさそうね」

そう伝えると、アルバートとハヴェルは驚いた表情を浮かべた。

「音もしませんし、暗闇で何も見えないのに何故分かるのですか」

「見えるのよ、魔力が。少し集中する必要があるけれど」

魔物の姿自体は見えないし、気配も感じられない。けれど魔力だけは、ぼんやりと浮かび上がって光って見える。

相手がどこにいるのか分かっていれば準備をして体制を整えられるし、奇襲を受けることもない。

だからこそ、私は魔物の討伐に適していて、これまで一緒に行った部隊で死者を出したことがなかった。

「……ユーフェミア様は本当にすごいですね」

「へえ、そんな使い方もあるのか」

アルバートは驚きつつも、心から褒めてくれているようで嬉しくなる。

一方、ハヴェルは感心したように顎に手をあてた後、風魔法を足に纏って、暗闇の中へ一人突き進んでいく。

大方、私の言ったことが本当か気になって仕方がないのだろう。

自らの国王が一人で魔物の群れへと向かったことで、王国の騎士達は慌てて追いかけていく。

「……集団行動って言葉を知らないのかしら」

「間違いなく知らないでしょうね」

アルバートはそんな光景を、冷ややかな目で見つめている。

彼らがいれば討伐は問題ないだろうとゆっくり歩いて進んでいくと、一人で魔物と戦うハヴェルの姿があった。

部下に対し、手出しをするなとでも言ったに違いない。

ハヴェルは昔からやけに好戦的で、王族の身でありながら魔物の討伐にも直接出向き、魔力を思い切り発散するのが好きだった記憶がある。

同じ王族である私は魔物の討伐なんて好きではないけれど、緊急時なんかは特に私が直接出た方が早いから、というだけの理由だった。

ハヴェルはBランクの魔物もなんなく倒してのけ、残りは弱い狼型の魔物二体――というところでふと、視界の中で何かがきらりと光った。

（何かしら、あの糸みたいなものは）

どちらの魔物からも、黒い光る糸のようなものが出ていることに気付く。けれどハヴェルによって首を飛ばされた後、糸はぱっと見えなくなった。

（死ぬのと同時に消えた……？）

そして最後の一匹にハヴェルが剣を振りかざした瞬間、私は声を上げた。

「ハヴェル、待って！　殺さずに生け捕りにして！」

「あ？」

ぴたりと魔物の首筋ギリギリで刃が止まり、ハヴェルは魔物の首に自らの腕を回すと思い切り締め付け、あっという間に気絶させた。

一国の王の戦い方ではないと困惑したものの、魔物から出ている黒い糸のようなものは消えておらず、ほっとした。

これまで多くの魔物を見てきたけれど、あんなものは見たことがない。魔物を操るということに関して、重要な手がかりになる可能性が高い。

「ほら、これでいいのか」

「ええ。無理を言って悪かったわ」

ずるずると魔物を引きずってきたハヴェルは、どさりと地面に放り投げる。

近くにいた騎士にこの魔物を拘束して運ぶよう頼むと、一瞬戸惑った様子を見せたものの、拘束具をつけて魔物を引きずって歩き出した。

「ペットにでもするつもりか？」

「そこまで悪趣味じゃないわよ。ただ、確かめたいことがあって」

私は魔物の後頭部を指差し、アルバートに声をかけた。

「ここから出ている黒い糸みたいなもの、アルバートにも見える？」

「いいえ、見えません」

「そう。やはり私にしか見えないのね」

ハヴェルや他の騎士に尋ねても同様の返事をされ、魔力でできた特殊なものだと悟る。

「こいつら、まるでこの先に進めないよう守ってるみたいだったな」

「……やっぱり操られているのかしら」

気絶した魔物から出ている糸はこの先の道へ続いていて、皆にもありのまま説明したところ、ひとまずこの糸を辿(たど)って進んでいくことになった。

「右の道に繫がっているわ」

「偵察(ていさつ)部隊の報告による監禁場所までのルートと全く同じですね」

「同じ場所に繫がっているのかもしれない」

それからも次の階層へ行く手を阻むように魔物の姿があり、決まって魔物達からは黒い糸が出ていた。やはり殺すことで糸は消えるらしい。

「着いたようですね」

「……ええ」

やがて糸を辿っていき、着いたのは監禁場所だという遺跡の最奥だった。

この場所まで大勢の人々を運ぶのは容易ではないし、もしかすると途中で倒した大型の魔物を使っていたのかもしれない。

そこには見張りらしき男達と、魔物の姿があった。

「まさか……騎士団か？」

「だが、あんな程度の人数で何ができる？」

武器を手に警戒する男達のすぐ側で魔物はこちらを威嚇(いかく)しており、敵意を向けているのは私達にだけ。やはり人間の敵味方を区別しているらしい。

（実際に目の当たりにすると、奇妙なものね）

私の知る魔物というのは基本的に知能が低く、なりふり構わず食らいついてくる化け物だった。

それが人間のもとで理性的に動くとなると、より厄介な存在になりうる。男達の側にいる魔物達からも黒い糸のようなものが出ており、牢の方へ繋がっていた。

その奥の薄暗い牢の中には、攫われた女性や子ども達の姿が見えた。遠目からでも分かる劣悪な環境や、聞こえてくる啜り泣く声に怒りが込み上げてくる。

「さ、後はこいつらを殺して救出すれば終わりだろ」

「こいつらはここで殺すのではなく、法の下で裁くべきだ。……戦闘上の『事故』であれば仕方がないがな」

「はっ、なるほど」

アルバートの言葉や声音からは、民達を傷付けられた強い怒りが伝わってくる。

ハヴェルは楽しげに笑い、腰から剣を引き抜いた。

彼の合図に従い、王国の騎士達は魔物や男達へ向かっていく。

「一番弱そうな魔物でいいから、殺さずに捕獲して」

「分かりました」

魔物については王城へ連れ帰って、研究をする必要がある。今後も魔物を操る手段が広がり、悪用されてしまっては世は混乱に陥るだろう。

アルバートはネイトや帝国の騎士達に人質を救出するよう指示をすると、飛びかかってくる、いくつもの頭のついた巨大なキメラの魔物へ片手を翳した。

一瞬にして魔物の周りに薄い魔力で作られた結界を張り、目の前まできた瞬間に結界の中は爆ぜ、キメラは跡形もなく消える。

結界を解いたことで、地面にはぼたぼたと血だまりが広がっていく。

(なんて完璧な魔法なのかしら)

先程までは剣のみで魔物を倒していたため、アルバートが魔法を使って戦う姿は初めて見た。

鮮やかで無駄のない魔法の連続に、こんな状況でも目を奪われてしまう。

結界を張った上で攻撃魔法を繰り出す場合、普通に攻撃するよりも倍以上の手間がかかる上に、魔力も消費する。

けれどこの遺跡はかなり古びていて現在地は地下深くのため、巨大な魔物との戦闘による衝撃で崩れては困る、という考えからなのだろう。

「……すごい」

他の魔物や男達に対しても、アルバートは続けて攻撃魔法を放っていく。

あまりにも一方的で淡々としていて、簡単なことをしているのだと錯覚してしまうくらい、高度な魔法を造作もなく使ってのける。

魔法における機動力に関しては、アルバートの方が確実に私よりも上だった。

(戦闘に特化していると、ここまで速いのね)

私はなんだかんだ魔法というものが好きらしく、素晴らしい魔法を見ると自然と胸が弾むのを感じていた。

「アルバート、すごいわ！　今のやり方、後で詳しく教えてちょうだい」

あっという間に敵を一掃（いっそう）した彼につい興奮して声をかけると、アルバートは紫水晶の瞳を瞬いた後、照れたように片手で口元を隠した。

「……ありがとうございます、嬉しいです」

「そんなに照れることとかしら」

「はい。ユーフェミア様は俺が最も尊敬する魔法使いですから」

まっすぐな称賛に今度は私が照れる番で、アルバートはなんとこれまで私が発表した魔法に関する研究なども、ひとつ残らず目を通しているそうだ。

私のものだけでなく常に新しい魔法について調べ、学んでいるんだとか。

『魔法はとても好きです。……僕にとっては、何よりも大切なものですから』

以前、アルバートがそう言っていたことを思い出す。

「本当に魔法が好きなのね」

「はい。あなたが授けてくれた、何よりも大切なものですから」

アルバートのまっすぐな言葉に、胸を打たれる。

九年前のあの日アルバートに出会っていなければ、彼は生涯魔法を使えず虐げられて過ごしていたのだと思うと、ふつふつと怒りが込み上げてきた。

大切な人を傷付けられるのは自らが傷付くよりも辛くて腹立たしいのだと、アルバートに出会って知った。

「おい、俺を除け者にしていいちゃついてんじゃねえよ」

ハヴェル達の方もあっさりと全ての敵を倒したらしく、肩で剣を担ぎ、呆れた眼差しを向けながらこちらへやってくる。

なんだかんだ男達は殺さずに拘束してあるようで、騎士団本部へ護送し、ノヴァークについて尋問するそうだ。

今のところは全てが順調ではあるものの、魔物から繋がる糸が気がかりで、繋がっている先の牢へ向かおうとした時だった。

「アルバート様！」

「どうした」

血相を変えたネイトがこちらへ駆け寄ってきて、その様子から嫌な予感がする。

騎士達によって牢から解放されていく被害者達とすれ違いながら、こちらへ、と誘導するネイトの後をついて行く。

「……っ」

その先の光景を見た私は、息を呑んだ。

そこには牢の中で倒れ、衰弱（すいじゃく）している大勢の子ども達の姿があったからだ。

身体は痩（や）せ細り、窶（やつ）れ、呼吸はひどく荒い。

「何か病（やまい）にかかっているのかもしれない。至急、近くの病院へ」

「はっ」

アルバートの指示に騎士達は頷き、子ども達を抱き上げようとする。

「――違う」

手を伸ばして制止すると、その場にいた全員が私へ困惑した表情を向けた。

「ユーフェミア様？」

「これは病気なんかじゃないわ」

私の両目には、倒れている子どものうち、二人の身体に魔物から出ていたものと同じ黒い糸が巻きついているのが見えていた。

（……きっと嫌な予感は的中しているんでしょうね）

「どういうことだ？　お前には何が見えている？」

「先に捕獲していた魔物を二体ともここへ持ってきてくれる？」

「おい、ユーフェミアの言う通りにしろ」

ハヴェルの指示の元、王国の騎士達が二体の気絶した魔物を引きずってくる。

（やっぱり……）

魔物から出ている糸は、二人の子どもに巻きついている。

それ以外の子ども達もきっと同じような状態だったものの、既に魔物が死んだために糸が消えたのだろう。

「……さっき、魔物から糸が出ていると言ったでしょう？　それが子ども達の身体に巻きついているの」

「は」

アルバートの口からは、短い戸惑いの声が漏れる。彼だけでなく周りにいた人々は皆、同じ反応をしている。

子ども達の姿を見つめていたアルバートも私と同じ考えに行きついたのか、口元を手で覆い「まさか」と呟く。

「……魔物を操るために、子ども達を利用しているのか」

「私もそう思っているわ」

ここにくるまでに遭遇した魔物の数と、子どもの数も一致する。

子ども達がこれほど憔悴しているのも、魔物を操るために魔力や生命力を吸い取られているのが原因だとしたら、納得がいく。

（なんて酷いことを……！）

絶対に許せないときつく両手を握りしめた私は、糸が巻き付いたままの七歳ほどの女の子の側へ近寄り、黒い糸に触れてみる。

「ユーフェミア様！」

その瞬間、じゅっと肌が焼ける音がして、指先に強い痛みが走る。

同時に駆け寄ってきたアルバートに肩を掴まれ、ひどく慌てた表情からは、心配してくれているのが伝わってくる。

「ごめんなさい、大丈夫よ」

すぐに腰から下げていたバッグからポーションを取り出し、一口分飲み込む。すぐに指先の爛れと痛みは消え、アルバートがほっとしたのが分かった。

（子ども達の肌にも触れているのに、問題ないのは何故かしら）

疑問を抱きながら、今度は自身の手に防御魔法を纏って触れてみる。

問題なく触れられた後はそっと糸を掻き分けていき、やがて奥に赤い水晶のようなものを見つけた。

「……これが原因ね」

魔法でそっと割ると、身体に巻きついていた糸がふっと消えていく。同時に苦しんでいた女の子の表情が、すっと穏やかになる。

糸から解放するには魔物を殺すか、この核のようなものを破壊する必要があるのかもしれない。

（黒い糸の調査をしたかったけれど、このままだと子ども達が危ないもの）

一応、魔物の死体だけは持ち帰ることにして、二体とも魔物の首をアルバートに切り落としてもらう。

すると予想通り、赤い核を破壊していない方の魔物と子どもを繋ぐ糸もぷつんと切れた。

「とにかく病院に運んで治療をしましょう、まずは脱出を――」

そこまで言いかけたのと同時に、地鳴りのような低い大きな音と共に建物全体が揺れた。

すぐにアルバートが私を庇うように抱き寄せる。

そんな中、この場には不釣り合いな下品な笑い声が響いた。

「ははっ、お前らも道連れだ！　ざまあみろ！」

拘束用の魔道具で捕らえてある男の一人が、声を立てて嘲笑う。

なんらかの魔法でこの場所ごと、私達を巻き込んで死ぬつもりなのだろう。

「……どこまでも下劣ね」

既にあちこちが崩れ始め、大きな太い柱が倒れたことで砂埃が舞う。

女性や子ども達の悲鳴が響き、場は混乱に陥っていく。

ハヴェルもこの状況で全員が逃げ切るのは不可能だと思ったのか、彼の足元では真っ赤な魔法陣が輝き出す。

この場所は地下深くのため、小さな子どももいる中で移動しては、入り口に辿り着く前に遺跡は崩落するだろう。

自身と部下達を連れて、この場所から転移魔法で脱出するつもりらしい。

「悪いが、流石にこれはもう無理だろうな」

何よりハヴェルほどの魔法使いでも、魔法陣を描かない瞬時に展開する転移魔法での移動人数は、一桁が限界だ。

国王である彼の命と民の命は、秤にかけることすら間違っている。

まごうことなき正しい判断だし、私も過去、そうすべきだと教えられてきた。

(きっと、アルバートは全員が助かる方法を考えているはず)

けれど私の胸には、そんな確信があった。

彼はこの場にいる民達を見捨てて、自分だけ助かろうとはしない。できる限りの全ての方法を試してみるに違いない。

たった一年ほどの付き合いだというのに、そう信じられる。

「……一分だけ、なんとか時間を稼げる?」

だからこそ私は、自分の命も預ける覚悟でアルバートにそう尋ねた。

——防御魔法だけでは、この場所から脱出するのは間違いなく不可能だ。

崩れた瓦礫から一時的に全員の身を守れたとしても、そこからは現状維持以下の消耗戦になり、いずれ魔力が尽き、全滅は避けられない。

だからこそ、大規模な転移魔法陣を描いて脱出するしか方法はないだろう。

ここにいる全員——五十人ほどとなると、相当複雑で難しい術式になる。

それをわずか一分以内に描いて魔力を込めて発動させるなんて、普通に考えれば不可能だ。

(それでもきっと、私ならできる)

驕(おご)りではなく、これまでの経験と自分が積み重ねてきた努力への信頼だった。

この状況で一分も耐えろというお願いだって、十分無理なもので。皇帝に対して命の危険を犯させるなんて、罪に問われたとしてもおかしくはない。

それなのに。

「はい、もちろん」

アルバートは一切の迷いなく、頷いてくれた。

その姿からは、私に対して全幅(ぜんぷく)の信頼を寄せてくれているのが窺える。

「……っ」

――こんな時なのに、どうしようもなく好きだと思った。

そしてもうこれ以上の言葉は、お互いに必要なかった。

私はすぐにバッグから魔法陣用のインクを取り出し、瓶に指を直接差し入れて地面に魔法陣を描き始めた。

姿は見えないけれど、アルバートが防御魔法を辺り一帯に展開したのを感じる。

（座標は王城の庭園……正確な人数は把握していないから、この地点の範囲を全て指定して……魔法陣を拡大する魔法も組み込みながら……）

これほど追い詰められた状況でも、頭は冴え渡っていた。それでも間に合うかどうかはギリギリで、冷や汗が頬を伝う。

残り三分の一ほどで、皮がむけてしまいながらも地面に指を走らせていく。

「――お前らって、本気のバカじゃねえの？　これで俺だけ逃げるとか、無理に決まってんだろ」

呆れた声が聞こえてくるのと同時に、アルバートの防御魔法を覆うようにハヴェルが防御魔法を展開したのが分かった。

「ユーフェミア、一分三十秒はやるよ」

「たった三十秒で偉そうね。アルバートの方がすごいわ」

「全くです」

「お前らの真上だけ穴を開けてやろうか？」

広範囲どころか通常の防御魔法すら不慣れなくせに、やけに偉そうなハヴェルに小さく笑みがこぼれた。

攻めに徹（てっ）する彼の戦い方では、自身すら守る必要がないのだろう。

それでも既に彼の転移魔法は発動しかけていたのに、この場に残ってくれたことが嬉しかった。

（できた、後は魔力を込めるだけだわ）

描き終えた魔法陣に両手をついて、一気に魔力を流し込んでいく。なんだかイヴォン達に殺されかけたあの日みたいだと、苦笑いが漏れる。

「くっ……！」

あの時ほどではないけれど、魔力を全力で使うのはやはり身体に負担がかかり、あちこちが軋み、痛みが走る。

五十人分の転移の魔力なんて、流石に私でも魔力を使い果たしてしまうはず。

その結果、どうなるのかも想像がつく。

けれどもう、全員が助かるのならどうでも良かった。

「ユーフェミア様！」

「……大丈夫、もう、終わるわ」

心配げなアルバートに無理に笑顔を作って返事をして、地面にさらにぐっと両手を押し付けて、ありったけの魔力を注ぎ込む。

（どうか、起動して――！）

やがて魔力が満たされたのを確認した瞬間、ぱあっと金色の魔法陣が辺り一帯の地面に広がっていき、まばゆく輝く。

激しい浮遊感を覚え、きつく目を閉じる。

「……成功、した……？」

やがてゆっくりと目を開けると、既に日が昇り始めていて、見慣れた王城の庭園の景色が広がっていた。

見渡す限り、全員が無事に転移できたようだった。

今回は運が良かっただけで次に同じ状況になった場合、成功するとは限らない。

（やっぱり私って、天才ね）

それでも安堵からどっと全身の力が抜けていき、ぺたりと芝生に尻もちをつく。

魔力を一気に使い果たしたことで息が切れ、汗が止まらない。もう身体のどこにも力が入らず、このまま草原に倒れ込みたくなる。

そんな私をアルバートが支えてくれた。

「ユーフェミア様、ありがとうございます」

「……こちら、こそ。無理なお願いをして、しまったのに……」

「いえ。……あなたは本当に、すごいです」

どこか切なげな表情で目を伏せたアルバートは、形の良い唇を真横に引き結ぶ。

私が無理をしてこんな情けない姿になっているせいで、罪悪感を抱いてくれているのだろう。

「私は大丈夫、だから……他の人達を」

「……はい」

アルバートは頷くと立ち上がり、至急子ども達を病院へ運び、他の被害者も全て一度医者に診させるよう指示する。

あの空間ごと指定したため、犯人の男達も共にこの場所に転移し、結果的に助ける形になってしまった。

騎士団本部へと連行し、予定通り調査をすることになるだろう。少しでも情報を引き出せるよう、祈るばかりだ。

(……本当に、良かった)

魔力を一切使わない予定だったというのに、まさか使い果たすことになるとは思ってもみなかった。

疲れた身体にずっしりと響く魔道具達は全くの無駄になってしまったと、苦笑いがこぼれる。

「やっぱりお前は規格外だな。これほどの規模の魔法を、あの短時間で展開できる人間なんてユーフェミア以外に存在しない」

私の側へやってきたハヴェルは目の前で目線を合わせるようにしゃがみ込み、口角を上げた。

なんとか間に合ったのは、彼もあの場所に残ってくれたからだ。

「助かったわ。ありがとう」

「やっぱりお前のそういうの、気味が悪いな」

「そう、二度と礼は言ってやらない」

そんな軽口を叩きつつも、ハヴェルに転移魔法を使って王城内へ運んでもらおうと思っていたため、ちょうど良かった。

アルバートが少し離れた場所にいる隙に、自室へ戻らなければ。今の私には魔力が残っていないし、かといって急いで歩く力すら残っていなかった。

きっともう、時間がない。

(何とも情けない姿ね。でも、悪い気はしないわ)

今は手段を選んでいられないし、ハヴェルに声をかけようとした時だった。

「……っ」

ぐらりと目眩がして、心臓のあたりが痛み出す。

これまでとは魔力の消費量が桁違いなせいか、痛みや苦しみも過去のものとは比べ物にならない。

座っていることもできなくなり、その場に倒れ込む。

「……う、あ……っ」

「おい、ユーフェミア！　どうした？　ユーフェミア！」

胸元と喉を押さえて苦しむ私を前に、ハヴェルが大声を上げる。

こんなに余裕のない顔は、初めて見た気がした。

（まずいわ、このままだとこの場所で――）

私が倒れて苦しみ出したことで一瞬にして騒ぎになり、霞む視界の中でアルバートが駆け寄ってくるのが見えた。

「ユーフェミア様！　大丈夫ですか！」

「……っは、……う……」

大丈夫だと言いたいのに言葉も紡げず、その代わりに彼に伸ばした手のひらが、だんだんと小さくなっていく。

（ああ、間に合わなかった）

だんだんと呼吸が落ち着いていくのと同時に、ぶかぶかになってしまった衣服を摑む。

「――は」

そうして子どもの姿になった私を見て、アルバートの表情が驚愕(きょうがく)に染まった。

周りも一気にざわつき、全身に視線を感じる。

当然の反応で、言い訳のしようもない。

「なぜまた、子どもの姿に……」

「………」

胸の苦しさもこれまで通りおさまったものの、アルバートに説明するとして、どこから話せばいいのだろう。

――この姿になるのはあれ以来初めてだと、嘘をつくのが一番良い誤魔化し方だというのは分かっている。

それでもアルバートにはもう嘘をつきたくなくて、口籠っていた時だった。

「やっぱりお前のそれ、魔力を使うのが原因なんだな」

ハヴェルが知ったような口ぶりでそう言ってのけたことで、アルバートの纏う空気が一瞬にして冷えていく。

「……なぜお前が知っている？」

「この姿になったのを見ているからな」

ハヴェルの言葉に、アルバートは切れ長の目を見開く。

彼の言うことは事実だけれど、これでは余計に誤解を招いてしまう気がする。

「どういう、ことですか」

「違うの、これは――っ」

悲しげな顔をするアルバートにすぐに説明しようとしたところで、今度は強い眠気に襲われ、視界が傾く。

やはり魔力を使いすぎたのが原因に違いない。普段の姿なら問題ないものの、子どもの姿では体力がもたないのだろう。

「ユーフェミア様？　ユーフェミア様――……」

そして私は子どもの姿のまま、アルバートの腕の中で、ぷつりと意識を失ってしまったのだった。

（……予想通り、まだ元の姿には戻ってない）

自室のベッドの上で目を覚ました私は、小さくて丸いままの自身の手のひらを見つめ、深い溜め息をついた。

気絶するように寝落ちしてからかなりの時間が経っていそうではあるものの、あれだけの魔力を使った以上しばらく元の姿には戻れない気がした。

『どういう、ことですか』

不意にアルバートの悲しげな声音と表情を思い出し、胸が締め付けられる。

とにかく彼と話をしたいと身体を起こしてすぐ、ノック音が響いた。

「目が覚めたんですね」

部屋の中へ入ってきたアルバートは、ベッドサイドの椅子に腰を下ろす。

その表情は暗いもので、やはり怒っているのだろうと不安になる。

「私、どれくらい眠っていたの？」

「十八時間ほどです」

「えっ」

予想よりずっと長い時間で、口からは間の抜けた声が漏れた。

普段はどんなに疲れていたって六時間も眠れば自然に目が覚めるというのに、子どもの身体というのは勝手が違いすぎる。

それからアルバートは、私が眠っている間のことを話してくれた。

遺跡での事後処理は進んでおり、子ども達もかなり衰弱していたものの、命に別状はないという。

回復し次第、全員が家に送られることになっているそうだ。

「……良かった」

ほっと胸を撫で下ろしたものの、アルバートの表情は暗いまま。それが私のせいだということも分かっている。

目の前で子どもの姿になった上に、ハヴェルがあんなことを言ってしまってはもう、隠すなんて無理だろう。

どこから話すべきだろうと悩んでいると、先に口を開いたのは彼の方だった。

「いつから、このことを隠していたんですか」

「……元の姿に完全に戻ったと思っていた中で、最初に子どもの姿になったのは二日前よ。ハヴェルに魔力を与えた後、数分だけ姿が変わったの」

そうして私は、二日前の出来事をありのまま話した。ハヴェルの部屋を出た後にアルバートと出会したのも、それが原因だったということまで。

「何か前兆のようなものは？」

「……数ヶ月前から、たまに心臓のあたりが苦しくなったりしていたわ」

「なぜ黙っていたんですか」

そう言ったアルバートの声は鋭くて低くて、怒っているのだと分かった。

「何人か医者にもかかったけれど、身体には何の問題もないと言われたし……心配をかけると思って、言えなかったの」

「いきなりこんなことになった方が、よほど心配します」

溜め息をついた彼は苛立ちを抑えるように、くしゃりと右手で前髪を掴んだ。それでいて瞳には悲しみの色が浮かんでいて、胸が締め付けられた。

「俺はそんなに頼りないですか」

「そんなこと思っていないわ！」

「ハヴェルには話していて、俺には言えないんですね」

「偶然知られてしまったから、仕方なく話したの」

「その後に俺にも話してくれれば良かったでしょう。直後に顔を合わせて、話をする機会だってあったんですから」

アルバートの言うことは間違っていない。『普通』はそうするのだということも分かっている。

それでも頷けずにいる私にアルバートは続けた。

「……どんな些細なことでも、俺を頼ってほしいと思うのは間違っていますか」

自嘲するように笑うアルバートの棘のある言い方からは「どうしてそんなことも分からないのか」と言われている気がした。

「……っ」

アルバートに出会ってから、どうしようもないくらい傲慢だった私も、少しは良い方向に変われたとは思っている。

けれど同時に、人は簡単に変われないということも思い知らされていた。

『また熱が出たですって？　自身の体調の管理すらできない人間が、国を治めることなんてできるはずがないでしょう。気を付けなさい』

『いい？　ユーフェミア。絶対に他人に弱さを見せてはだめよ。家族にさえも』

『王というのは、常に孤独でなければいけないわ』

幼い頃から何度も繰り返し言い聞かされてきた言葉が、頭をよぎる。

これまでのお母様の教えが全て正しかったとは思っていない。

むしろ大半が歪な考えだということだって、今は気付いている。

それでも。

――間違っていたと認めてしまったら、必死にそうあろうとしてきたこれまでの私の頑張りも我慢も全部無駄だと思い知らされるような気がして、怖かった。

どんなに苦しくても痛くても辛くても誰にも頼れず、一人でベッドの中でうずくまっていた幼い頃の自分が、哀れで報われないと思ってしまった。


「……アルバートに、私の気持ちなんて分からないわ」

そして気が付くと、口からはそんな言葉がこぼれ落ちていた。

他人の気持ちなんて分かるはずがないし、おかしいのは私だというのに。

自分でも感情的で、子どもじみた愚かなことを言っている自覚はある。

それでいて、心の中では「アルバートにだけは分かってほしい」と望んでいるのだから救いようがない。


「――――」

唇を噛み締めて見上げたアルバートは、ひどく傷付いた顔をしていた。

誰よりも私を大切にしてくれて、誠実でいてくれた彼にこんな表情をさせてしまったことに、胸が潰れそうなほどの罪悪感を覚える。

それでも今の私には違うと否定することも、言い訳さえもできなくて。

何も言わず、俯いたまま出ていってしまったアルバートを引き止めることもできなかった。

第五章　後悔と本音

「……もう嫌だわ……」

アルバートに心ないことを言ってしまった翌日の朝、私はベッドの上で布団を被って丸くなり、後悔で押し潰されそうになっていた。

最後に見たアルバートの表情が頭から離れず、心が鉛みたいに重くて、どうしようもなく胸が苦しい。

こんなにも自分に嫌気が差したのは、生まれて初めてだった。

やはり偶然ハヴェルに知られてしまった以上、アルバートにも報告すべきだったのだろう。

——婚約者であり、私を心から想ってくれているアルバートが頼ってほしいと思ってくれるのは当然だと思うし、嬉しくて感謝すべきことだというのに。

そして立ち上がると、両手をこちらへ向けた。

「この手は何？」

「抱っこさせていただいても？」

「……なんて？」

「僕、ユフィが好きなんですよ」

笑顔でそんなことを言ってのけるネイトが、なんだかんだ私を可愛がってくれていたことも分かっている。

――過去、私の夜泣きにネイトが気付いたのは、心配して自発的に何度も様子を見にきてくれたからだと、後からアルバートに聞いて知った。

「……一度だけね」

「あ、本当にいいんですか？　冗談だったんですけど」

「殴るわよ」

「ははっ、嘘ですよ」

楽しげに笑うと、ネイトはひょいと私の身体を抱き上げた。

アルバートより低い体温と爽やかで甘い香りに、少しの懐かしさを覚える。

思い返せば、この姿になって初めて私を抱き上げたのもネイトだった。あの頃は憤慨していたけれど、今では安心感さえ抱いてしまう。

（中身は大人って分かっているくせに、完全に子ども扱いじゃない）

よしよしと頭を撫でる姿からは、本当に可愛く思っているのが伝わってくる。

ネイトは私よりも六つ年上で、いつしか兄のように感じていたのも事実で。

だからこそ大人しくされるがままでいると、頬をつねられ「調子に乗るんじゃないわよ」と顔をぐいぐい押し退けてやった。

「アルバート様には内緒にしてくださいね。怒られるので」

「怒られてしまえばいいわ」

楽しげに笑ったネイトは「それと」と続けた。

「軽く話を聞いただけの僕でも、ユーフェミア様が悪いとは思いませんよ。アルバート様も絶対にそうですから、心配はいりません」

「……ありがとう」

励まそうとしてくれているネイトに、心の中で「そろそろ悪徳騎士の称号を剝奪（はくだつ）してやってもいい」と思った、けれど。

「四頭身もなさそうですね」

「王族への不敬罪」

やっぱりもうしばらくは、このままでもいいと思った。

ネイトが出ていってすぐ、今度はドロテとサビナがやってきた。

「ユ、ユフィ様……！」

子どもの姿になった私を見て、ドロテは両手で口元を覆い、目を輝かせる。

アルバートからは「少し魔法の影響で姿が変わったが、何の問題もない」と周りを心配させない説明がなされているそうだ。

数ヶ月前と同じように私の頭を撫でていたドロテは我に返ったらしく、はっと慌てて手を離した。

「申し訳ありません、精神は大人のユーフェミア様だと分かっていても、やはり可愛らしくて……」

「ううん、いいの」

子どもの姿の頃、ドロテが私を慈しみ、大切にしてくれたのは嬉しかった。

あのネイトすらそうなのだから、ドロテが子ども扱いして可愛がってくれるのも納得できる。

何より私はきっと、三つ上の彼女のことも姉のように慕っていた。

「本当に天使のようで、ユーフェミア様は世界で一番可愛くて美しい存在です」

「もう、大袈裟よ」

くすりと笑っていると、サビナがじっとこちらを見ていることに気が付いた。

ずっと仕えてくれているサビナは子どもの頃の私を知っているし、以前子どもの姿になったことも話していたから、無反応だと思っていたのに。

「……サビナ？　どうしたの？」

こちらへ近づいてきた彼女に突然ぎゅっと抱きしめられ、驚いてしまう。

幼い頃だって、こんな風にされた記憶はなかったからだ。

「サビナ？」

「…………」

もう一度名前を呼んでみても、反応はない。

けれど彼女の肩が少しだけ震えていることにも気が付き、短い両腕で抱きしめ返すと、より抱きしめられる力が強くなる。

「……本当はずっと、こうしたいと思っていたんです」

その一言だけで、彼女の気持ちが伝わってくる気がした。

幼い頃から側にいてくれた彼女は、誰よりも私のことを知っている。

——辛くて悲しい時、涙が溢れそうな時も、私はいつだって泣かないよう唇を真横に引き結び、きつく手のひらを握りしめて堪えていた。

そんな時、サビナはいつもただ黙って私の側にいてくれた。

こうしたいと思っていても、王国では常にお母様の監視の目があったから、私を慰めたり甘やかしたりすることなどできなかったのだろう。

これまでずっと気遣ってくれていた気持ちが、優しい体温から伝わってくる。

「……サビナって本当、分かりにくいわよね」

そんなところも嫌いじゃないなんて言いながら、私もきつく抱きしめ返した。

それからは処分していなかった以前の子ども用のドレス——もある中、なぜかアルバートが急ぎ用意させたという新品の可愛らしい高級ドレスに着替えた。

(か、かわいい……)

胸の大きなリボンの中心には大粒のアメジストが輝いており、スミレ色のドレス全体には幾重にもフリルが重なっている。

「ああ……本当によくお似合いです」

「ええ、腕が鳴りますね」

やけに気合の入った二人により髪型は高い位置でツインテールにされてしまい、精神は二十歳の私は羞恥心でいっぱいになる。

以前とは違い周りもそのことを知っているからこそ、尚更だ。

けれどあまりにも二人が楽しそうで嬉しそうだから、解いてほしいなんて言えそうにない。そして我ながら、驚くほど似合っている。

その後は、話を聞いたらしい城内の使用人達がかわるがわるやってきた。

「こちらはユフィ様が大好きだったお菓子です」

「ユフィ様が小さなお身体を冷やさないよう、以前お使いになっていた魔道具を持ってまいりました」

「あ、ありがとう……？」

皆中身は二十歳の私だと分かっているはずなのに、嬉しそうに贈り物をしては去っていくのだ。もちろん嬉しいけれど、不思議で首を傾げる。

すると近くで様子を見ていたドロテが、くすりと笑う。

「皆さんユフィ様が大好きでしたから。それに普段のユーフェミア様はお美しくてオーラがあって近寄り難いですし、本当はこうしてお話ししたいんだと思いますよ」

「えっ？」

「はい。大人のユーフェミア様のことも、皆慕っております」

常に良くしてくれてはいるけれど、以前よりも使用人達との距離が少しできた気がして寂しく思っていたのだ。

「……ふふ」

だからこそ初めて知る事実に、胸が温かくなっていく。

（不器用なのは、私だけじゃないのね）

これからは私からも声をかけようと決めて、貰ったばかりのクッキーを齧った。

支度を終えた後は早速アルバートの元へ行って謝ろうとしたものの、会議中らしく、終わるまで王城の敷地内を散歩して過ごすことにした。

十八時間も眠り続けていたのだから、少しでも外で陽の光を浴びた方がいい。

サビナに手を引かれ、とことこ短い足で離宮の方まで歩いていく。

（それにしても、こんなにも見え方が変わるのね）

身長が低くなるだけで視界が変わり、歩き慣れた道が違って見える。

美しく整えられた王城内の景色を眺めながら、アルバートにどう謝ろうか悩んでいると前方から二人の男性が歩いてくることに気付く。

「よお、ユーフェミア。ミルクでも買ってやろうか」

「さよなら」

「可愛くないガキだな。腹の立つ色のドレスまで着やがって」

「は？　放っておいてちょうだい」

楽しげに笑うハヴェルはこちらへと近づいてきて目線を合わせると、ふいと顔を逸らした私の頬を遠慮なく摑む。

「やわらけえ、こんなだったっけ、お前」

「離しなさいよ！　お前、本当に殺すわよ！」

「魔力、空なんだろ？　この赤ん坊みたいな身体で俺を殺せるのか？」

「くっ……！」

じたばたと抵抗しても、力の差はどうにもならない。きつく拳を握りしめて力の限りハヴェルの顔を殴ってみても、ぺちんという可愛らしい音がするだけ。

「ははっ、かわいいな」

「……吐き気がしてきたわ」

「お前、本当に俺に興味がないのな。いい加減に傷付くな」

こんな失礼な男に、どう興味を持てと言うのだろう。

それでもハヴェルは本当に悲しげな顔をするものだから、調子が狂う。

「そういうお前は、いつから私に興味があるのよ」

「ユーフェミアが俺を殴ってくれた時からだよ」

――私がハヴェルを、殴った時。

いつだっただろうと思い返そうとしても、なかなかピンとこない。そもそも王子を殴るという暴挙に対して「くれた」というのも変な話だった。

「……やっぱりお前は覚えてないよな」

そんな私の心のうちを見透かしたように、ハヴェルは眉尻を下げて笑う。

寂しげな表情に、困惑してしまう。

「ねえ、それっていつ――」

「お前、腹も出てないか？　幼児体型ってやつか」

「こ、この……！　ぶっ飛ばすわよ」

なんだからしくない様子が気になって、気遣おうとした気持ちを返してほしい。

誰かにこの失礼すぎる男を止めてほしいけれど、サビナの身分では隣国の国王であるハヴェルを止めることはできない。

ハヴェルの後ろに控えている彼の側近であるヤンも、主が好き放題していても止めようとはしない。止めても無駄だと身をもって学んでいるのかもしれない。

（この男が飽きるまでおもちゃにされるなんて絶対に嫌――あれはまさか）

助けを求めて辺りを見回していると、見知った顔を見つけた。

「ミ、ミランダ！　助けてちょうだい！」

大声を出して両手を振ると、ミランダはこちらへ視線を向ける。

私の姿を捉えた瞬間、ミランダは空色の両目をぱちぱちと瞬いた。

「えっ、ユフィ様……？」

「そうよ、早くこっちへ来て！」

必死に助けを求めると、ミランダは困惑した様子でこちらへ近づいてくる。

「誰？」

「私の友人よ」

首を傾げるハヴェルにそう答えると、信じられないという顔をされた。

「ユーフェミアに友人……？　何かの間違いじゃないのか」

「いいえ、本当にユーフェミア様の友人ですよ」

失礼すぎるハヴェルに向かってふわりと微笑んだミランダは、私の脇下に両手を差し入れ、ひょいと抱き上げてくれる。

ぎゅっとミランダに抱きしめられ、温かくて良い香りに包まれた私は助かったとほっと胸を撫で下ろした。

「若い女性に断りなく触れるのはどうかと思いますよ？　ヴィクルンド国王陛下」

「俺を知っているのか」

「ええ、隣国の公爵令嬢たる者、当然のことですわ」

「へえ？」

ふっと口角を上げたハヴェルは、これ以上私で遊べそうにないと察したのか、立ち上がると肩を竦めてみせる。

（ハヴェルがミランダのような真面目な令嬢が苦手なの、知っているんだから）

ミランダにしがみついて睨むと、ハヴェルの瞳には戸惑いの色が浮かんだ。

「……お前、本当に変わったな」

「なんだか嫌そうね」

何気なく感じたことをそのまま口に出すと、ハヴェル自身も無自覚であり、図星(ずぼし)

でもあったのか、戸惑いはさらに濃くなった。

「そう、かもしれない」

「…………？」

なんだかハヴェルらしくないことばかりで少しだけ心配になったものの、ひとまずミランダにお願いして、自室へと向かったのだった。

「——まあ、そんなことがあったのですね」

自室へ戻った後、ミランダにこの姿になった経緯などを簡単に説明した。彼女は王城内にある図書館に用事があったらしい。

「子どものお姿になられたのもそうですが、アルバート様と喧嘩をなさったというのも驚きでした」

「……喧嘩というより、私が一方的に感情をぶつけただけだわ」

「そうですか？　お話を聞く限り、アルバート様だって拗ねていたようですし、お互い様だと思いますよ」

ミランダは柔らかく目を細め、続けた。

「ふふ、それにあの本を読んで頑張っていたなんて可愛らしいです」

「私は必死だったんだから」

　恋愛指南本を読んで甘えようとして失敗したことも話すと、ミランダは微笑ましげな眼差しを向けてくる。

「ユーフェミア様にこんなにも想われる、アルバート様が羨ましいくらい」

「……私になんか想われても、良いことなんてないわ」

　可愛らしい態度も取れない上にアルバートの望むことすらできず、あんな身勝手な発言までしたのだから。

「それで、いつまで私を抱っこしているつもりなの？」

　ハヴェルから私を取り上げてから今もなお、ミランダは私を離そうとしない。ソファに座る彼女はしっかり私の身体に腕を回している。

「だって、とっても可愛いんですもの。初めてお会いした時だって、仲良くなりたいと言ったでしょう？」

　確かに初対面の時、ミランダはそう言っていた。あの頃の私はてっきりアルバートに近づく口実だと思っていたものの、本音だったらしい。

「……それに、誰かに触れることってないから嬉しくて」

「…………」

「誰かの体温って、こんなにも温かくて安心するものなんですね」

彼女にとっては何気ない言葉だっただろうけど、聞いていた私は胸の奥が静かに痛むのを感じていた。

(ミランダも、色々なものを抱えているんだわ)

公爵令嬢という立場の重圧を、私もそれなりに理解しているつもりだった。

くるっと振り返ってミランダをきつく抱きしめ返すと、ミランダはくすぐったそうに身を捩(よじ)らせる。

「ふふ、ありがとうございます。ユーフェミア様はいい子ですね」

「子ども扱いしているでしょう」

「はい、ごめんなさい」

素直に謝ったミランダは、よしよしと私の頭を撫でながら続けた。

「ユーフェミア様とアルバート様って、思い合うが故(ゆえ)にあともう一歩だけお互いに言葉が足りない気がするんです」

「あと、もう一歩……」

「はい。勇気を出して、もう少し素直な気持ちを伝えるだけでいいと思います」

「……ありがとう、ミランダ。そうするわ」

こくりと頷けばまた「いい子、いい子」と頭を撫でられてしまい、くすぐり返してやると、ミランダは楽しげに大声で笑う。

（可愛いのはあなたの方じゃない）

ミランダと話したことで、心がとても軽くなった気がした。

友人になれて本当に良かったと思いながら、なおも私を抱きしめ続ける彼女に、そっと体重を預ける。

アルバートには先日の言葉を訂正した上で、飾らず、素直に本当は甘えたい、頼りたいと思っていることを伝えようと決めた。

――けれど結局、アルバートはずっと会議や仕事に追われており、その日は会えないまま夜を迎えてしまうことになる。

その日の晩、小さな姿でベッドにもぐり込んだ私は、以前アルバートが買ってくれたうさぎのぬいぐるみを抱きしめていた。

「……ねむれない」

身体のサイズが変わると何もかもが大きく広く見えて、毎日過ごしていたはずの部屋も別の空間に感じられる。

無性（むしょう）に心細くて寂しくなって、不安でいっぱいになる。

中身はもう二十歳だというのに情けない、しっかりしようと思っても、少しの物音にびくっとしてしまう。

それでもなんとか眠りにつこうと、きつく目を閉じていたのだけれど。

数時間眠った後、うなされて起きた私の両目からは止めどなく涙が溢れていた。

「……ひっく……うー……」

やはり子どもの姿になると、夜泣きをしてしまうようだった。我慢しようとしても、頭の中の考えと感情がうまく噛み合わない。

どうしようもなく怖くて不安で仕方なくて、一人でいたくなくて、思い浮かぶのはアルバートの顔だった。

時計へと視線を向けると、もう日付は変わっていて夜も深い。

流石のアルバートも既に休んでいるだろうし、こんな時間に訪ねるなんて迷惑な行為だと分かっている。

『……どんな些細なことでも、俺を頼ってほしいと思うのは間違っていますか』

それでも。

(きっとアルバートは、迷惑だと思わないでくれる)

今はそんな確信が、胸の中にあった。

ネグリジェの袖で涙を拭ってベッドから降りて、ぬいぐるみを抱きしめたまま、隣のアルバートの部屋のドアをノックする。

すると少しの後、足音が近づいてきて、アルバートはすぐドアを開けてくれた。

「……ユーフェミア様?」

驚いた表情で私を見下ろす彼の様子からは、やはりもう眠っていたのに、起こしてしまったのが窺えた。

申し訳なくなって「やっぱり何でもない」と言いかけて、ぐっと踏みとどまる。

ここで強がって何も言わなければ、これまでと何も変わらない。

「……こ、怖い夢を見て、こんな時間だと迷惑だって分かっているけど、どうしてもアルバートに会いたくなったの」

勇気を出して、正直な気持ちを紡ぐ。

緊張してきつく目を閉じていると、目元に何かが触れる。

ゆっくりと目を開けると、私の目の前にしゃがみ込んだアルバートが、そっと泣き腫らした私の目尻に触れていた。

「いいえ、迷惑だなんてありえません。会いにきてくださって嬉しいです。ありがとうございます」

「……っ」

ひどく優しい声音と言葉に、どうしようもなく泣きたくなった。

最後に会った時、私はあんな態度をとってしまったのに。

「失礼しますね」

アルバートは私を抱き上げ、背中を撫でてくれながらベッドへと向かう。

そして私を抱いたままベッドに腰を下ろすと、アルバートは私を安心させるように改めてぎゅっと抱きしめてくれた。

アルバートの体温と香りに包まれ、先程まで感じていた恐怖や不安が、嘘みたいに消えていく。

それからしばらくお互いに何も話さず、静かな時間が流れた。聞こえてくるのは少しだけ速いとくとくという、アルバートの心臓の音だけ。

これも全て私が落ち着くように気を遣ってくれているのだと思うと、アルバートへの愛おしさが込み上げてきて、胸が締め付けられた。

（大好き）

こんなにも、大好きなのに。どうして上手くいかないのだろう。

アルバートのシャツを掴み、彼の胸元に顔を埋める。そして謝罪の言葉を伝えようとしたけれど、先に口を開いたのはアルバートの方だった。

「ユーフェミア様、先日は本当に申し訳ありませんでした」

「……どうしてあなたが謝るの？　悪いのは私よ」

「自分勝手な感情をユーフェミア様に押し付けてしまいました。無力な自分に嫌気が差し、焦っていたんだと思います」

そんなことを考えていたなんてと、内心驚いてしまう。

「アルバートは無力なんかじゃない」

「いえ、あの場にユーフェミア様がいなければ、どうにもなりませんでしたから」

長い銀色の睫毛（まつげ）を伏せたアルバートは、自分を責めているようだった。

「そんなあなたに頼っていただけるほどの人間ではないというのに、出すぎたことを口にしました」

「そんなこと、絶対にないわ！」

顔を上げてはっきりと否定すると、アルバートは透き通った両眼を見開く。

小さな両手でアルバートの右手を握りしめると、まっすぐに見つめた。

「あの場ではたまたま私の得意な魔法が解決に適していただけ。魔法使いに得手不得手があるのは当然でしょう。戦闘のみならあなたの方が活躍していたはずよ」

「…………」

私の言っていることが間違っていないと、聡いアルバートなら間違いなく分かっているはず。それでも彼は、何も言わないまま。

けれど、その気持ちも今は分かる。頭では理解しているはずなのに、心がついてこないことを私も実感したばかりだった。

そんなアルバートに、私は続けた。

「……それに、嬉しかったの。アルバートが頼ってほしいって言ってくれて、本当はすごく嬉しかった」

アルバートが「頼ってほしい」と言ってくれたのは、心から嬉しかった。

これまで私は誰かに能力や結果を求められるばかりで、そう言ってくれる人なんて今までいなかったから。

それなのに私は心配や不安からだけでなく、くだらない意地やプライドによって選択を間違えてしまった。

「私こそ、本当にごめんなさい」

それから私は、どうしてあんな言葉をぶつけてしまったのかを話した。

『良い婚約者』の意味を履き違えて一人で何でも抱え込んでいたこと、弱さを見せてはいけないと教えられて生きてきたこと。

今はそれが正しいとは思っていないけれど、これまでの自分を否定するような気がして、意地になってしまったこと。

(子どもの姿だと、普段よりも素直になれる気がする)

アルバートは穏やかな声音で相槌を打ちながら、静かに聞いてくれる。

そして全てを話し終えた後、再び抱きしめてくれた。

「本当に、申し訳ありません。やはり全て俺が悪いです」

「私が悪いわ」

「俺です」

それでもアルバートは、頑(かたく)なに認めようとしない。

私を抱きしめる腕に力を込め、小さな肩に顔を埋めた。

「……ユーフェミア様をよく知っているような気でいた自分が、恥ずかしいです」

どこか後悔した様子のアルバートは以前「常にリデル王国に大勢の間者(かんじゃ)を放ち、私について事細かく報告させ続けていた」と言っていたことを思い出す。

厳しく育てられていた私のことだって、知っていたのかもしれない。

「私のこと、許してくれる？」

「もちろんです。こんな俺のことも許していただけますか？」

「ええ、当然よ」

顔を上げたアルバートと、至近距離で視線が絡む。

そのままこつんと額と額が触れ、笑い合う。

「……その、まだあまり上手くできないかもしれないけれど、これからはあなたに何でも言うし、頼ってもいい？」

「はい、喜んで。ありがとうございます」

柔らかく目を細めたアルバートを見ていると、無事に仲直りできたこと、嫌われていなかったことに安心して、また泣きそうになってしまう。

そんな私の心のうちを見透かしたように、アルバートは背中を撫でてくれた。

「他にも何か、ユーフェミア様が俺に対して思っていることがあればどんなことでも言ってください。何でも直しますから」

自分は察しが良くない、それでも私に嫌われるようなことはしたくないから言ってほしいと、縋るような眼差しを向けられる。

私がアルバートを嫌いになるなんて絶対にあり得ないけれど、そう言ってくれるこの機会に——素直になれる子どものうちに、全部伝えておきたい。

けれどいくら考えても、悪いところも直してほしいことも思い付かない。けれど目の前の彼は真剣な表情で私の言葉を待っていて、必死にぐるぐる悩む。

「……大好き」

そして何か言おうと口を開いた途端、ついて出たのがそれだった。

自分でも今言うべきことではないと分かっているし、ぼっと顔が熱くなる。

「ごめんなさい、伝えたいことってこれじゃないのに、でも、本当に好きで……」

余計に恥ずかしいことをまた言ってしまい、顔を両手で覆う。

それからもアルバートは無言のままで気になって指の隙間から、ちらっと少しだけ様子を窺ってみる。

するとアルバートの顔は薄暗い中でもはっきりと分かるくらい、真っ赤だった。

「……どんなことを言われるかと緊張していたので、不意打ちでした」

照れながらも、嬉しそうに笑うアルバートに、心臓が大きく跳ねる。

「俺もユーフェミア様のことが大好きです。好きで大好きで、仕方ありません」

「……っ」

どうしてアルバートは、こんなにも好意を伝えるのが上手なんだろう。声音や言葉、熱を帯びた眼差し全てから強い「好き」が胸に響いてくる。

そして安心した途端ふわあと大きな欠伸が漏れて、より羞恥でいっぱいになる。

本当に子どもの身体は不便で、くすりと笑うアルバートを軽く睨む。

「申し訳ありません、もう休みましょうか」

部屋へ送ってくれようと立ち上がったアルバートのシャツを、きゅっと掴む。

「……このまま一緒に眠ってもいい？」

自分でも大胆なことを言っている自覚はあったけれど、この姿ならきっとお互いに以前と変わらず過ごせる気がした。

アルバートは笑顔で頷き私をベッドに寝かせると、その横に寝そべった。

「おやすみなさい、ユーフェミア様」

頬にキスを落としたアルバートは、寝かしつけるように私の背中を軽くとんとんと叩いてくれる。

以前一緒に眠っていた頃の癖が残っていたのだろう。

完全に子ども扱いされている気もするけれど、私は結局アルバートから向けられるどんな形の愛情でも嬉しくて、心地良いのだと実感する。

「……おやすみなさい、アルバート」

すり、と甘えるように近づくと、優しく頭を撫でて返してくれる。こんな些細なやり取りも幸せで、胸がいっぱいになる。

——これまで私は自分が享受する全てを当然だと思って、生きてきた。

けれどこんなにも素敵な人が私を好きでいてくれることを当たり前だと思わず、ずっとずっと大切にしていきたいと思った。

「……う」

ゆっくりと意識が浮上し、紙にペンを走らせる心地良い音が聞こえてくる。

瞼を開けると、部屋の中央の机で書類仕事をするアルバートの姿が目に入った。

「おはようございます、ユーフェミア様。元に戻られたんですね」

「ええ、おはよ……えっ？」

まだ寝起きでぼんやりしていた私は、そう言われて初めて自身が大人の姿に戻っていることに気が付いた。

布団の下では丈の短い子ども用のネグリジェから足がすらりと伸びていて、慌てて魔法で今の身体に合ったサイズに変化させる。

（ア、アルバートに見られていないわよね……？）

ドキドキしながら手ぐしで髪を直しながら、再びアルバートへ視線を向ける。

彼は普段執務室で仕事をするけれど、私の側にいてくれようとしたのだろう。

（でも、想像していたより戻るのがずっと早かったわ）

完全に魔力が空になってから、まだ数日しか経っていない。私の魔力もまだ三分の一も回復していないため、予想外だった。

やはりまだ分からないことが多く、気を付けなければと自戒する。

「ごめんなさい、今って何時かしら」

「昼の一時です」

「えっ」

なんと私はまたもや、昼過ぎまで眠ってしまっていたらしい。

「ごめんなさい、私ってば本当に眠ってばかりで……」

この数日間は人生で最も眠っている気がする。

慌てて飛び起きてベッドから降りると、アルバートは困ったように微笑んだ。

「昨晩は遅くまで話していましたし、お疲れだったんでしょう。やはり身体も万全ではないでしょうから、どうかゆっくり休んでください」

アルバートは私よりも疲労が溜まっているはずなのに、そんな素振りひとつ見せない。どこまでもできた人だと思いながら、柔らかな絨毯の上を歩いていく。

「ひとまず着替えてくるわ。その後、少しだけ話をしても？」

「はい。お待ちしていますね」

やはり大人の姿でも改めて話をした方がいいと思った私は、自室へ戻り、風呂に入って軽く食事をして、侍女やメイド達に身支度を整えてもらった。

「もちろん、子どもの姿で一緒に寝たのよ！」

「ふふ、分かっております」

周りからの生温かい視線に落ち着かないまま、鏡台の前に座る。

私の髪を丁寧に梳きながら、ドロテは鏡越しに困った笑みを浮かべた。

「昨夜、小さなユーフェミア様の様子を見にきたのですが、どこにもお姿がなかったので驚きました」

「ごめんなさい、もしかして探してくれた？」

あの時は周りのことを考える余裕なんてなくて、涙ながらにアルバートの元へ行くのが精一杯だった。

「いえ、お探ししようとしたところ、ネイト卿にお会いしたんです。アルバート様のお部屋だろうとお聞きして、安心いたしました」

もしかすると、私がぐすぐすと泣きながら部屋を出たところを見ていたのかもしれない。

次にネイトに会ったら冷やかされそうだと、小さく息を吐く。

「アルバート様と、ちゃんとお話ができたのですね」

「ええ」

心配をかけたことを謝り、今日こそは大人の女性らしいお気に入りの髪型にしてもらった私は、再びアルバートの部屋へと向かったのだった。

部屋を再び訪れるとアルバートはすぐに仕事をする手を止め、笑顔で出迎えてくれる。

ソファに並んで座った後は、私が眠っている間のことを報告してくれた。

「ユーフェミア様がお休みの間に、ハヴェルが帝国と王国の騎士を引き連れて、武器と麻薬の倉庫と密輸のルートを壊滅させました」

「えっ」

たった一日でそこまでやってのけたなんて、驚きを隠せない。

そもそもまたハヴェルが直接出向いたこと自体、おかしいのだけれど。

「ハヴェルもユーフェミア様ばかりが活躍してくださっていることに、焦っていたんでしょう」

「焦ったというより、負けず嫌いなだけじゃないかしら」

ハヴェルは昔から私にやけに張り合っていたし、その延長だろう。子どもの頃はそれが面倒で仕方なかったけれど、今回は良い方向に動いたのなら良かった。

「先日の遺跡や今回捕えた者達は元々、利益のためだけにつるんでいた忠誠心のない者ばかりで、組織の指導者や本拠地についても簡単に吐きました」

より詳しく調べた後、本格的な計画を立てるそうだ。

他の問題についてもヴィクルンド王国と協力関係にあるお陰で順調に捜査が進んでいると聞き、胸を撫で下ろした。

「ハヴェルは本拠地の制圧にも出向くそうなので、俺も同行するつもりです」

本来なら私も一緒に行くと言いたいところだけれど、魔法を使えば目眩がしてしばらく動けなくなる上に、子どもの姿になる身なのだ。

今はきっと、足手まといにしかならない。

ここで帰りを待っていると告げると、アルバートは笑顔を返してくれた。

それと、私の身体については調査を進めてくれているらしい。

テレンスにも実は調査をお願いしてあると伝えたところ「他にも知っている男がいたんですね」と拗ねた顔をするものだから、笑ってしまった。

「テレンスにはただ調べるよう命じただけで、詳しくは知らないもの。私は魔物についての調査を進めておくわ」

「はい。ユーフェミア様に見直していただくためにも、全力を尽くしてきます」

そんな言葉に引っかかりを覚え、首を傾げる。

「見直す？　あなたへの評価が上がり続けることはあっても、下がることなんてないと思うけれど」

「少し前、ユーフェミア様の態度が素っ気なく冷たくなった気がしていたんです。何か幻滅させるようなことをしてしまったのかと」

悲しげに目を伏せたアルバートは一体何を言っているのだろうと、眉を寄せる。

（どうしてそう思ったのかしら？　私は常にアルバートが好きで仕方ないのに）

なぜそう思ったのだろうとしばらく考えた末「私の態度が変わった」原因について思い当たってしまった。

「……ご、ごめんなさい、本当に違うの」

頭が痛くなってきて、指先で額を押さえる。

『俺は何か、ユーフェミア様に失礼なことを言ってしまいましたか』

『えっ？　どうして？』

『怒らせてしまった理由が分からないんです。……申し訳ありません』

きっとアルバートは私が婚約者らしく甘えようとして、失敗し続けていた時期のことを言っているのだろう。

あまりにも愚かで恥ずかしくて仕方ないものの、余計な不安や心配をさせたくなかった私は両手で顔を覆い、続けた。

「ごめんなさい。怒っていたとかじゃなくて、私はただ婚約者らしくアルバートに甘えたかっただけだったの」

正直に話したところ、アルバートの口からは「は」という短い言葉がこぼれた。

幻滅されていると思っていたのに実は甘えようとしていたなんて、訳が分からないに違いない。

私だって自分で言っていて、どうかしていると思う。

「誰かに甘えたことなんてなかったから、どうしたらいいのか分からず失敗して、変な態度になってしまって……上手くできなくて可愛くないと思うけど、嫌いにならないでくれる？」

「………」

アルバートは少しの間の後「はー……」と長い息を吐いて、俯いた。

今度は私が幻滅させてしまったかと不安になったものの、美しい銀髪の間から見える耳が赤く染まっていた。

「ア、アルバート……？」

突然彼の手が伸びてきたかと思うと、気が付けは彼の腕の中にいた。

きつく抱きしめられ、心臓が跳ねる。

「……ユーフェミア様は、本当に不器用で可愛らしい方ですね」

「えっ？」

「大好きです。好きで愛おしすぎて、どうしたらいいのか分かりません。嫌いになるなんてありえないです。俺が知る限り、世界で一番可愛いですよ」

「……っ」

アルバートの愛の言葉に、不安でいっぱいだった胸に喜びが広がっていく。

「う、うそだわ。こんな私なんて、絶対に可愛くなんてないもの！」

「本当です」

「うそよ！」

「命をかけてもいいです。俺はそう思っていますから」

「う……ありがとう」

「はい」

押し負けた私を見て満足げに微笑み、アルバートは形の良い眉尻を下げた。

隙間なく触れ合っていた身体を少しだけ離すと、アルバートは私の頬に触れた。

「とても嬉しいです。ありがとうございます」

「……まだ、何もできていないのに？」

「はい。ユーフェミア様が俺に甘えようとしてくださったお気持ちが、どうしようもなく嬉しいんです」

私から目線を逸らしたままのアルバートの顔はやっぱり赤くて、こちらも余計に恥ずかしくなってくる。

それからは以前のお茶会で令嬢達から婚約者との過ごし方を聞いたこと、そんな風になりたいと必死に本を読んで実践しようとしたことを話した。

アルバートは納得した様子を見せた後、ようやくこちらへ視線を向けた。

「ユーフェミア様がそう思ってくださったことが、とても嬉しいです」

「そ、そう？　それなら良かったわ」

こんな失敗してしまった私にもアルバートは優しくて、胸を打たれる。

無造作に膝の上に置いていた手を握られ、落ち着かなくなった。

「恥ずかしながら女性との付き合い方については詳しくないのですが、何か甘え方の希望はありますか？」

「……本当に詳しくないの？」

「はい。ユーフェミア様以外に興味はありませんし、あなたとこうして触れ合える日が来るなんて想像もしていなかったので」

真顔で当然のように言ってのけるアルバートに、より鼓動が速くなっていく。

「あなたって、私を喜ばせるのが上手ね」

「俺はつまらない人間だと思っていたので、それなら良かったです」

いつだって欲しい言葉をくれるアルバートを、私はこの先もさらに好きになっていく気がしてならない。

（どう甘えたい……そう言われると、また悩んでしまうわ）

アルバートは悩んで再び黙り込む私の長いローズピンクの髪を、優しい手つきで梳きながら待ってくれている。

そんな仕草からも愛情が伝わってきて、くすぐったくなった。

「以前一緒にお茶をした令嬢達が言っていたの。皆婚約者と二人でいる時は甘えて、膝の上に乗ったりしているって」

「………そう、ですか」

アルバートはぴたりと髪に触れていた手を止め、片手で目元を覆う。

しばらく「なるほど」「ユーフェミア様も無知なのは嬉しい」なんてことを呟いていたけれど、やがて顔を上げた。

「それが婚約者らしいことかどうかは分かりませんが、ユーフェミア様がそうしたいと思ってくださるのなら、ぜひ」

「え、ええ！　頑張りましょう」

本当にこんな感じで合っているのか少し不安になりつつ、アルバートの腕が伸びてきて、大人の姿なのに軽々と抱き上げられる。

「……っ」

慌ててしがみついたところ、気が付けば私はアルバートの膝の上で思い切り抱きつく体勢になっていた。

「こ、こうして皆、過ごしているの……？」

「……そうなのかもしれません」

遠慮がちにアルバートの腕が、腰元から背中に回される。

抱きしめ合う形になり、アルバートの髪が首筋にあたってくすぐったくなる。

隙間なくぴったりくっついていることで、早鐘を打つお互いの心臓の音が混ざり合うような感覚がした。

（あたたかい）

アルバートと触れ合うようになってから、他人の温もりの心地良さを知った。

大好きなアルバートの香りがして、胸が高鳴りながらも安心感に包まれていく。

きっと皆この感覚が欲しくて恋しくて、触れ合うのではないかと思った。

（何だかすごく、婚約者らしい気がする）

もう恥ずかしさも通り越して、アルバートに抱きつく腕に力をこめる。するとアルバートも同じくらいの強さで抱きしめてくれて、幸せな笑みがこぼれた。

「それで、ここからは何をするのかしら」

とりあえず膝の上に乗ってくっついてみたものの、この先どうするかまでは詳しく聞いていなかった。

お母様が「低俗なものは読む必要がない」と言って、王立図書館内で読む本まで制限されていたため、私はロマンス小説なども読んだことがない。

その上、恋愛の話をする友人も一切いなかったせいで、私の恋愛に関する知識は子ども以下の自信があった。

「こうして話をしたり、もっと触れ合ったり、でしょうか」

「もっと触れ合うって？」

だからこそ、手を繋ぐくらいのことを想像していた私は、次の瞬間アルバートに唇を塞がれたことで石像のように固まってしまった。

「こんなふうに？」

「……っ」

唇が離れ、鼻先が触れ合いそうな距離でアルバートは薄く笑う。その笑顔があまりにも綺麗で蠱惑的で、思わず息を呑む。

戸惑っているうちに、また唇が重なった。

「ん、う……」

だんだんとキスが深くなっていき、力が抜けてしまう。

アルバートにしがみついていた手が離れた途端、指先を絡め取られた。

これまでのものより大人な感じがして、全身が火照(ほて)っていく。

「……ユーフェミア様、好きです」

その上、キスの合間にそう囁かれてしまってはもう、限界だった。

(これ以上は、死んでしまう気がする)

力の入らない腕で弱々しくアルバートの胸元を押すと、ようやく距離ができて、一気に空気を吸い込んだ。

「はあっ……あ、ありがとう。今日は、もう……」

決して嫌なわけではないのだと、息を整えながら目で訴えかける。

顔を近づけてきていたアルバートは我に返ったように、ぴたりと止まった。

「……申し訳ありません、あまりにも可愛らしくて止まらなくなりました」

片手でくしゃりと前髪を掴んだアルバートは、深く息を吐く。

よく分からないけれど、こんな私を可愛いと思ってくれたことで安堵する。

「本当？　良かった。もっとそう思ってもらえるように頑張るわ」

するとアルバートは目を瞬いた後、再度大きな溜め息を吐いた。

「……今必死に我慢しているので、それ以上煽るのはやめてください」

「えっ、あっ、そうなのね！」

どぎまぎしてしまい、アルバートから顔を逸らす。

何か別の話題をと、必死に頭を働かせる。

「ほ、他には何が、あるのかしら」

「手ずから何かを食べさせるとか、でしょうか」

「そ、それも甘えるってことなの……⁉」

けれど確かに街中なんかのカフェで「あーん」なんて言って食べさせている男女を見たことがある。

昔は見かけるたびに、なんて生産性のない行為だと呆れた眼差しを向けていたけれど、男女関係においてはとても重要なことだったのかもしれない。

アルバートにされることを想像したら、照れくさいものの、嬉しい気がする。

きっと私が知らない幸せで嬉しいことが、まだまだあるのだろう。

「ねえアルバート、私もっとアルバートと触れ合いたいわ」

まだまだ緊張してしまうけれど、もっと慣れてたくさん触れ合いたい。そしてアルバートにも、私といると幸せで嬉しいと思ってもらいたい。

そんな気持ちを胸に熱い眼差しを向けると、アルバートは片手で目元を覆う。

「………精一杯、がんばります」

「？　ええ、ありがとう」

不思議な温度差を感じつつ、アルバートは余裕そうだったし、頑張る必要なんてないだろうという疑問を抱く。

そんな私の頬をアルバートは、ぷに、と軽くつねった。

ハヴェルにされた時とは違って、こうして触れられるのもアルバートなら嬉しいものの、珍しい行動に余計に頭の中は「？」でいっぱいになる。

「な、なに？」

「可愛すぎるのも困りものだなと」

ははっと笑ったアルバートの笑顔が可愛くて、もう何だっていいと、つられて笑ってしまった。

「ねえ、アルバート」

「なんでしょうか」

「大好き」

この流れなら言えると、普段気軽に言えない言葉も伝えてみる。

それでも照れを隠すようにぎゅっと抱きついて胸元に顔を埋めると、アルバートは私の頭に顎を乗せ、抱きしめ返してくれた。

「……俺はあなたが好きすぎて、困り果てているくらいですよ」

第六章　決意

翌日、心に何の引っかかりもなくなった私は、明るい気持ちで仕事をしていた。

「それでね、無事にアルバートと婚約者らしい時間を過ごせたの」

「……よく魔物の解体をしながら恋愛の話なんてできますね」

いつものようにネイトに報告しながら、現在私は先日、遺跡から一緒に転移した魔物の死体の解剖をしている。

本来こういったものは研究員が行うのだけれど、魔物から出ていた黒い糸が私にしか見えないため、今回は場所を借りて私が直接行っている。

過去、リデル王国でもこういった研究はしていたし、問題はなかった。

「別にもう死んでいるんだし、これくらい慣れたわ。おかしいの？」

「普通の男は引くと思います」

「ユーフェミア様は流石です、とでも言いそうですね」

「それなら良かったわ」

私は普通の王女・女性像からはかけ離れているらしく、こんな私を受け入れてくれるアルバートを大切にしようと改めて思った。

（やっぱり二体とも、この糸以外は普通の魔物と同じだわ）

直接魔物の脳に巻きついていた黒い糸以外は、同じ種類の魔物と違いはない。するすると糸を巻き取って専用のケースに入れると、テーブルの上に置いた。

「この中に例の糸があるから、できそうなら調べてみて。正直なところ、何も分からなかったけれど、簡単な報告書も書いておくから」

「分かりました」

近くで控えていた研究員に声をかけ、手袋を脱ぐ。

形が見えなくとも、何らかの解析はできるかもしれない。この先は私の専門分野ではないし、あとは任せようと思う。

「この後のご予定は？」

「アルバートの手伝いで書類仕事をするつもりよ」

「アルバートは？」

「そうですか。ではまず、お部屋までお送りします」

「ありがとう」

それからは後片付けを頼み、ネイトと共に研究所を後にした。

ちなみにネイトがこの場に付き添ってくれていたのは「死体といえども、危険な可能性がある」とアルバートが言ったからだ。

王城から研究所までは、徒歩で十五分ほど。気持ちの良い晴天のお陰で、いい散歩になりそうだった。

「アルバートも忙しそうよね。次はいつ二人で過ごせるかしら」

「そうですね。アルバート様には心から同情します」

「どうしてよ」

「アルバート様も男ですよ」

「？　それくらい分かっているわ」

なぜそんな当たり前で分かりきったことを言うのだろうと首を傾げていると、ネイトは心底同情するような顔をした。

「ユーフェミア様は本当にお子様ですね。実は子どもの姿は精神の実年齢の姿だったりするのでは？」

「ちょっと」

訳が分からないまま失礼なことを言われ、眉を寄せる。

ネイトに遠慮されるのは好きではないけれど、最近はさらに遠慮のなさが加速した気がしてならない。

私の少し後ろを歩くネイトは、そんな私を気にせず続けた。

「男というのは、女性に半端に触れるのは辛いんです。愛する女性なら尚更」

「半端……？」

何か間違った触れ合い方をしていたのだろうかと疑問を抱いていると、ネイトはわざとらしく大きな溜め息をついた。

「生殺しをされると抱きたくなるので辛い、ってことですよ」

「え」

本当に一から百まで教えないとならないんですね、と憐れむような眼差しを向けられたものの、もう気にならないくらい私の脳内は混乱していた。

(だ、だってそんな発想、なかったんだもの……)

人間の身体の構造や子を成すための行為について、最低限の知識はある。

けれどお母様が潔癖だったことや、詳しいことは男性に任せれば良いのだと言われていたこともあって、授業の中で一度軽く教わった程度だった。

「アルバート様のような清廉潔白(せいれんけっぱく)な方にもそんな欲があるなんて、それも自分に向けられるなんて想像すらしていなかった、という顔ですね」

「お前、心が読めるの？」

「お陰様で望まずとも、ユーフェミア様のことは分かるようになってきました」

私が日頃、本音混じりに色々と相談しているせいだろうか。

まだ信じられない気持ちはあるものの、同じ男性で誰よりもアルバートの側で過ごしてきたネイトが言うのだから、本当なのだろう。

「皇帝の初夜が失敗したなんて、全く笑い話になりませんからね。世継ぎのこともありますし、もう少しお勉強なさってください」

「………………」

にっこりと眩しい笑顔を向けられて腹は立ったものの、ネイトの言っていることは間違いなく正論で。ぐうの音も出ない私は、睨み返すことしかできない。

——その後、初夜って何をどうするのかと突然尋ねたことで、サビナが倒れてしまったのはまた別の話。

「いつも俺だけ仲間外れにして酷いよな。今夜だけと言わず、毎日呼んでくれよ」

「無理だ」

「お前はいなくていいよ。ユーフェミアと二人で」

「アルバート、それはこの仔牛のステーキ用のナイフであって、不躾なヴィクルンド国王陛下用ではないわ」

とある日の晩、アルバートとハヴェルと三人で空気の重い食卓を囲みながら、私は小さく溜め息をついた。

なぜこの三人で夕食をとっているのかと言うと、いよいよ明日、ノヴァークの本拠地に乗り込むことになったからだ。

既に調査も終え、突入計画も立ち、いつまでもハヴェルや王国の騎士達が滞在しているわけにもいかないため、明日に決まったと聞いている。

もう時間もなく、食事をしながら話をしようということになったらしい。

「予定通り全員捕らえたら、帝国側の法で裁くのがいいだろう」

「そうだな。うちの方が厳しいから都合はいいが、全員の入国手続きをする手間も金も無駄だからな」

ヴィクルンド王国の法はどこの国よりも厳しく、他国では無期懲役の罪でも死罪になるほどだ。

王国であればイヴォンもカイルも死罪だっただろうし、リデル王国に生まれ落ちたことを感謝すべきだろう。

私は黙って食事をしながら二人の話を聞いていたけれど、やがてフォークとナイフを置くと二人へと視線を向けた。

「やっぱり明日、私も一緒に行くわ」

「駄目です」

予想通りだめだと即答したアルバートは持っていたグラスを静かに置き、真剣な表情を浮かべた。

一方、ハヴェルは「へえ?」と楽しげに口角を上げるだけ。

「何故ですか？　魔法を使えば再び子どもの姿になる以上、足手まといになると仰っていたのはユーフェミア様でしょう」

反対されるのは予想内だし、私も思い付きで発言したわけではない。この数日、私なりに悩んだ結果だった。

まっすぐにアルバートを見つめ返し、続ける。

「本拠地に行けば、操られた魔物と繋がれている子ども達は大勢いるはずだもの。私にしか糸は見えないし、原因となるものがあったとしても、私以外は対処できないかもしれない」

アルバートは唇を真横に引き結び、黙って聞いてくれている。

たとえハヴェルの指輪に限界まで私の魔力を流し込んでも、彼が能力を使えるのはたった一分程度で、それだけではどうにもならないだろう。

やはり、私自身が行くしかない。

「私にしかできないことがあるのなら、多少の危険があっても行くべきだわ」

この魔眼はリデル王国の一部の王族――歴代の王族の中でも賢王と呼ばれた者だけにしか発現せず、選ばれた者の証とも言われている。

だからこそ、私はこの力をできる限り役立てるべきだと考えていた。王国を出た身である以上、なおさら世のために使うべきだと。

「……もちろん怖い気持ちはあるわ。小さな身体では思い通りにいかないことも沢山あるから」

子どもの姿では、怖い夢を見て夜泣きをしてしまうくらい、精神が弱くなる。

記憶の中の自分よりもずっと弱くて、もしかするとあの頃に一人で抱え込んではいたものの、隠していたものが溢れてしまったのではないかとも思っている。


それでも。


「アルバートがいるから、大丈夫だと思ったの」

はっきりとそう告げると、アルバートのアメジストの両目が見開かれた。

——理由をいくら並べ立てたとしても、一人ではこの決断はできなかった。

アルバートを心から信じているからこそ、前を向けたのだ。

(きっとこれが「頼る」ってことなのね)

自分の気持ちは全て伝えたし、きっとアルバートにも伝わるはず。

そう信じてアルバートを見つめると、彼は眉尻を下げ、困ったように微笑んだ。

「……やはりユーフェミア様はずるい方ですね。あなたにそこまで言われて、俺が駄目だと言えるはずがないでしょう」

立ち上がったアルバートは私の目の前へ来ると、膝をつき、私の手を取る。

そして強い眼差しで私を見上げた。

「ユーフェミア様のご決断、心から感謝します」

「……ええ」

「必ずあなたをお守りすると誓います」

アルバートの誠実な言葉に、心の中に残っていた少しの不安も全て、取り除かれていくのが分かった。

絶対に大丈夫、臆することはないという確信が、胸の中にはある。

「ありがとう、アルバート」

「はい」

アルバートの手を握り返し、笑顔を向ける。少し泣きそうになったけれど、大人の姿では絶対に泣きたくなくて、なんとか堪えた。

「……あーあ。妬けるな」

そんな中、ずっと黙っていたハヴェルは両手を上げ、肩を竦めた。

「あ、ハヴェルもいるから安心だとも思ってるわよ」

「とってつけたようなお言葉、ありがとうな」

頰杖をついたハヴェルは、拗ねた顔でふんと鼻を鳴らす。

冗談めかして言ったものの幼い頃から知っていて、魔法使いとしての実力も信用できるハヴェルがいてくれることで、安心感を抱くのも事実だった。

「まあでも、お前は強くて良い女だよ。本当に」

「……ありがとう」

ふざけたことばかり言う彼だけれど、今の称賛は心からのものだと分かった。

アルバートが自席へ戻った後は、再び明日の計画についての話をした。

行動を起こすのは最も警備が手薄になる日付が変わってからのため、明日一日はしっかり休んでおく必要があるだろう。

「では明日は、手筈(てはず)通りに」

「分かったわ。よろしくね」

「はい」

そんなやりとりをしていると、食事を終えてテーブルに頬杖をつくハヴェルがじっとこちらを見ていることに気が付いた。

「何よ」

「お前らってさ、婚約者に見えないんだよな。上司と部下って感じ。自分の女をユーフェミア様、なんて呼んでるのもおかしいだろ」

「……う」

実はそれは私も気にしていたことではあった。アルバートの立場を考えると、どう考えてもおかしいのだから。

ちらりとアルバートへ視線を向けると、いつもと変わらない様子で無視をして食事を続けていた。

(アルバートは何も思っていないのかしら……?)

どちらにせよハヴェルに言われてどうこうするのは癪で「放っておいて」とだけ言うと、一気にグラスの中身を喉に流し込んだ。

その後、私はアルバートに食堂でのことを謝るため、庭園での散歩に誘った。

柔らかな灯りに照らされた花々は、昼とは全く違う顔をしている。中には夜になると発光する花もあって、美しく幻想的だった。

「夜の庭園は久しぶりだけれど、綺麗ね」

「あなたの方が綺麗です」

「………」

どうしてそんな恥ずかしいことを、さらっと言えてしまうのだろう。いつの間にか繋がれていた手にも、どきどきしてしまう。

（でも良かった。怒っていないみたい）

ほっとするのと同時に、アルバートに同行したいと伝えることに緊張していたのだと、今更になって気が付いた。

「ごめんなさい、突然で驚いたでしょう。私達二人の問題ではないから、ハヴェルもいる場で話したかったの」

「はい。……でも、俺を頼ってくれて嬉しかったです」

優しい笑顔を向けてくれるアルバートは、足を止める。

つられて足を止めた私も、彼に向き直る。

「ですが、絶対に無理はしないと約束してください」

「ええ、分かったわ」

約束ねと小指を絡めると、アルバートも指先でそっと握り返してくれた。

「今日はもう少しだけ話をして、お互いに早めに休みましょう」

「はい」

「今日はもう仕事をしちゃだめよ。嘘をついたら、一週間口を利かないから」

「それは何よりも困るので、必ずそうします」

ふっと笑うアルバートに手を引かれ、再び歩き出す。

そして彼の反応から、ふと先程ハヴェルに言われたことを思い出していた。

「そういえば、あなたがいつまでも私に敬称をつけているのはおかしいわよね」

今の私はただの王女であり、アルバートは帝国の皇帝なのだ。

婚約者といえども立場には明確な差があって、周りにも面目が立たないし、いい加減変えるべきだろう。

「実は『ユーフェミア様』と呼ばれるのも、あまりしっくりきていなかったの。再会してからはずっと『ユフィ』と呼ばれていたし」

何よりアルバートにそう呼ばれるのが、いつしか好きになっていた。

元の姿に戻った頃はアルバートも動揺していたから無理だと言っていたけれど、今ならきっと問題ないだろう。

「……そうですね。ハヴェルに言われたからというのは癪ですが、あの男がユーフェミア様を名前で呼んでいるのも腹立たしいので」

ハヴェルが私を「ユーフェミア」と呼ぶのは子どもの頃からだから、私としては特に思うところはなかった。

けれどアルバートからすれば、腑に落ちないのも理解できる。

「じゃあ、ユフィって呼んでみて」

「……今ですか？」

「ええ。今この瞬間からよ」

やはり抵抗があるのか、アルバートは躊躇う様子を見せる。

けれどハヴェルの存在もあってか、少しの後、静かに頷いた。

「分かりました。ユーフェミア様が良いのなら」

「ええ」

数ヶ月後には夫婦になるのだし、過去にそう呼ばれていたこともあって軽い気持ちでそう言った、けれど。

「ユフィ」

「……っ」

愛おしげに名前を呼ばれた瞬間、どうしようもなく心臓が跳ねた。

（ど、どうして？　以前とは全然違うじゃない……！）

子どもの姿の時には毎日「ユフィ」と呼ばれていたはずなのに、なんだか全く違う響きに聞こえる。

「ユフィ？　どうかしましたか」

「い、いいえ！　何でもないの！」

慌てて否定したものの、再び呼ばれたことで落ち着かなくなった。

（ちょっと待って、想像以上の破壊力だわ）

呼び方を変えただけなのに、距離が一気に近づいたような感覚がする。

「こ、これで周りから舐められることもなさそうね」

「はい。これからはそうします、ユフィ」

このまま敬語もやめるよう伝えるつもりだったけれど、私の方が無理そうだ。

それでも、急ぐ必要なんてない。

ゆっくりと一歩ずつ、進んでいけばいいのだから。

「……明日、絶対に無事に戻ってきましょうね」

「はい、必ず」

アルバートとなら、不思議とどんなことでもできてしまう気がする。

繋いだ手を握りしめ、笑顔で約束し合った。

翌日の晩、私はアルバートとハヴェル、帝国と王国の騎士達と共にノヴァークの

本拠地である、国境付近のスイレナという町へやってきていた。

　これほどの大人数で移動しては敵に勘付かれるため、ワープゲートと呼ばれる転移魔法で王都から国境へ転移後、馬で移動している。

　ワープゲートは帝国内に五箇所しかなく、目的地の近くにあって助かった。

「俺達は半分ほど制圧を終えた頃に侵入しましょう」

「分かったわ」

　まずはハヴェルと王国の騎士団長、ネイトが率いる本隊が本拠地へ侵入し、人質の救出をしつつ、制圧していく予定になっている。

　人質は町の端で固まっているらしく、その安全の保証さえできれば何も気遣うことなく好き放題できると、ハヴェルは張り切っていた。

　本隊が突入してから三十分ほどして、外で待っていたアルバートの元へ、通信用の魔道具を通して八割方は制圧したという連絡が入った。

「……本当にすごいのね」

　そうして内側から開けられた門を潜り中へ入ると、普通の田舎町と何ら変わらない光景が広がっていた。

　唯一違うのは、あちこちに魔物の死体が大勢転がっていることだけ。

町の中へ入った私達と入れ替わるようにして、魔道具で拘束された組織の構成員達が外へ連れ出されていく。

彼らは一旦、この近くの大都市の牢に収監されるそうだ。

元々この町で暮らしていた人々も無事に救出されており、その鮮やかな手腕に目を見張るばかりだった。

「我が国の騎士は皆、優秀ですから」

そう話すアルバートの元へ、ネイトが駆け寄ってくる。

「カシュパルの姿がないそうです。間違いなく町の中にいるはずなのですが」

ノヴァークのボスであるカシュパルが二日前にこの町へ戻ったのは確認されているらしく、昨晩のうちに転移魔法を防ぐ結界も町全体に張られている。

そのため、この町から出るには正門を通るか、飛行できるタイプの魔物を使って空から逃げるしかない。

けれど複数の監視にも、その姿は捉えられていないという。

そう広い町ではないというのに、見つからないなんておかしい。ハヴェルの姿も見えないらしく、気がかりだった。

「それと、子どもの姿もありません」

操られている魔物が大量にいるのに、子どもの姿がないというのはおかしい。

やはりどこかに隠されているに違いない。

「まだ生きている魔物はいる？　魔物から繋がる糸を辿れば分かるかもしれない」

「すぐに探してきます」

それから数分後、ネイトは虎に似た魔物を引きずって戻ってきた。美しい顔立ちと細身に見える身体には似合わず、恐ろしく力が強い。

「騎士達が優秀すぎるせいで、生きているのはこの一匹のみです」

「ありがとう。こっちよ」

やはり魔物からは黒い糸が出ており、その糸を辿ってアルバートとネイトと共に建物の隙間を縫って走っていく。

ノヴァークがこの町を本拠地にしたのは、まるで迷路のような作りの町並みが身を隠すのにうってつけだからかもしれない。

やがて糸が途切れ、足を止める。

「……なるほどね」

そして糸が途切れている先に目を向けた私は、そう呟いた。

「この先に何かあるのですか」

「ええ。上手く隠しているけれど、この先に大きな洞窟があるわ」

町の最奥には結界で隠された洞窟があり、私でも集中して目を凝らさなければ見えないくらい、精巧な結界だった。

「俺には何も見えません。ただ土壁があるようにしか……」

「そうですね。僕にもさっぱり」

やはり二人には見えていないようで、この奥に子ども達が隠され、ノヴァークのボスであるカシュパルが潜んでいる可能性が高い。

(それにしても、この結界は特殊だわ)

入ることはできても出ることは難しい作りで、まるで何かを閉じ込めようとしているかのようだった。

それでいて、つい最近張られたようなものには感じられない。

これほどの強い結界は一朝一夕で展開できるものではないし、国家レベルの魔法使いが長い時間をかけて張るものだ。

(ノヴァークがここを本拠地にしたのは、町の作りが理由なんかじゃなさそうね)

これほど強い結界を完全に解くには、かなりの時間がかかる。とはいえ、通り抜ける程度なら今この場でも可能だろう。

にもならない。

「ネイトは結界の無効化はできる？」

「僕は戦闘系の魔法以外は苦手なので、無理そうです」

「ここで待っていてくれ。すぐに戻る」

「……分かりました。どうかご無事で」

主を見送ることに対してネイトは悔しげな様子だったけれど、これはかりはどうにもならない。


結界の無効化は魔法の中でも難解なものだ。

むしろアルバートができることにも、内心驚いていた。

「ハヴェルもこの中にいるみたい」

結界のせいで見えづらいけれど、彼の魔力の色がうっすら見える。

「ハヴェルはどうやってこの場所を？」

「私の魔力を分け与えたから、きっとその能力を使ったんじゃないかしら」

誰よりも勘は鋭いし、子ども達やカシュパルの姿が見えないことで、どこかに隠れた場所があると察して指輪を使ったのだろう。

結界を通り抜けたのも、何かしらの魔道具を使ったに違いない。

普段彼がじゃらじゃら身につけている装飾具は全て、古代魔道具の指輪ほどではないものの、強力な魔道具なのだから。

「私の横に手をついて」

「はい」

アルバートに結界の位置を伝え、結界に手を添える。結界の魔力の流れと術式を読み取りながら、相反するように自身の魔力を流し込んでいく。

その結果できた僅かな隙を見逃さず、そのタイミングで魔力ごと自身の身体を結界内に押し込むと、次の瞬間にはもう目の前の景色は変わっていた。

洞穴内は想像以上に広く、天井も高くて奥行きもあるのか、暗闇しか見えない。

そして視界に飛び込んできたものを見た私は、言葉を失った。

「……っ」

私より数秒遅れて結界の内部に足を踏み入れたアルバートも、戸惑いを隠せずにいるようだった。

――どうしてこんなものが、存在するのだろう。

「よお、遅かったな」

前方でそんな私達を笑ったハヴェルの腹部や手足には、血が滲んでいる。それが返り血ではなく彼のものだというのは、すぐに分かった。

いつも通りの調子に見せているものの、かなり魔力も消費している。

流石のハヴェルもあの相手には、苦戦を強いられているに違いない。

「……へえ、ここへ三人もやってくるとはね」

剣を構えるハヴェルの奥で大きな岩に腰掛けている男は、感心した声を出す。

焼けた小麦色の肌に、編まれた長い銀髪を垂らしている男が誰なのかは、すぐに分かった。

「僕がノヴァークのボス、カシュパルだ。まさかこんな場所で皇帝陛下にお会いできるとは思わなかったよ」

「既にこの本拠地は完全に包囲した。お前に逃げ場はない」

「そうだろうね。俺以外は雑魚だから、帝国と王国の騎士団に攻められた場合、こうなることくらいは予想がついたよ。十分儲けたし、この場所に未練はないさ」

なんてことないように言ってのけたカシュパルには、何の焦りも感じられない。

「それに僕は、逃げる必要なんてないからね」

自身の負けなどあり得ないと確信しているらしい彼は、そう言って自身の後ろにいるものを見上げた。

「グオオオオオ！」

まるで呼応するかのように、咆哮を上げる。

（なんて魔力なの……！）

気を緩めれば吹き飛ばされてしまいそうなほどの風が起こり、びりびりと強い魔力に当てられて身体が痺れる。

「……帝国内にドラゴンが封印されていると聞いていたが、事実だったとはな」

アルバートの呟きに、カシュパルは唇で弧を描く。

――そう、カシュパルの後ろにいたのは大陸では絶滅したと言われている、ドラゴンだった。

見上げてもその全てが視界に入らないほどの黒茶色の巨体は全身、硬そうな鱗に覆われている。

ドラゴンには単純な魔法攻撃や剣は効かないと聞いたことがあったけれど、事実なのだろう。

両手足から伸びる鋭利な爪は、人間などきっと簡単に引き裂けてしまう。

（こんなものまで操れるなんて……）

そしてドラゴンの後頭部からは、複数の黒い糸が出ていた。

その数だけ今も生命力を奪われている子ども達がいるのだと思うと、怒りが込み上げてくる。

「やっぱり古代魔道具の力だったのね」

「ああ、よく分かったね」

カシュパルの右腕では、黒いブレスレットが揺れている。

そこから発せられている禍々（まがまが）しい魔力は、魔物から子ども達へと繋がっていた黒い糸と同じものだった。

魔物を操る能力なんて、これまで聞いたことがない。調べてみても、そんな情報はひとつもなかった。

けれど存在が明らかになっていなかった古代魔道具なら、納得がいく。

「……アンデッドとは、さらに厄介だ」

アルバートの言う通り、あのドラゴンは既に息絶えている。

ドラゴンの死体からは毒素のある強い魔力が出ることがあるため、討伐後にこの洞窟に封印されていたのだろう。

仮に死後数百年ほど経っているとするなら、もう尽きていてもおかしくはない。

けれどまさか古代魔道具といえども、死体まで操れるとは思わなかった。

「なぜ子どもを使う？」

「さあ？　こいつはガキの生命力しか食わないんだ。大人を使おうとしても、皮膚が焼け爛れるだけでダメだった」

その声音や態度からは、人間を利用すること、殺めることに対して何の罪悪感も抱いていないことが窺えた。

もうこの手の人間は対話なんてしても無駄で、生かしておいてはいけないとアルバートもハヴェルも考えているに違いない。

「どこでそのクソみてえなブレスレットを見つけた？」

「他国の遺跡でな、死体と錆まみれの装飾品の中に紛れてたんだ。運が良かった」

「……はっ、それはどうだろうな」

同じく古代の魔道具を持つハヴェルは、夢で見た場所に誘われるように向かった先で、指輪と出会ったと言っていた。

――強い魔道具は使う人間を「選ぶ」と言われている。

あの魔道具は人間の子どもを糧に魔物を操るという、おぞましいものだ。そんな魔道具が選ぶのも、まともな人間ではないのだろう。

（吐き気がするわ）

私の隣に立つアルバートも、同じ気持ちのようだった。

「さ、お喋りはここまでにしようか。ちなみにドラゴンを従わせるには、大量のガキの命を必要とするから、早く死んだ方がいいよ」

そう言って笑う男に地面を蹴り上げたハヴェルが斬りかかるも、守るようにドラゴンが右手を軽く振るう。

その勢いだけでぶわっと強い風が吹き、空気が痺れる感覚がする。

思わず苦笑いがこぼれてしまうくらい、生き物としての格が違う。きっとこのドラゴンにとって人間など、人間にとっての蟻以下の存在に違いなかった。

(こんなの、人間が戦うような相手じゃないわ)

「ユフィ！」

そんな中、アルバートが私の身体に腕を回し、地面を蹴って壁側に移動する。

同時にドラゴンは目と口を大きく開き、火焔のブレスを放った。

「く……っ」

辺り一帯は熱気に包まれ、すぐに防御魔法を展開する。

かするだけで骨すら残らないだろう。

それでいて、ドラゴンにとっては火を吐くのは欠伸をするのと変わらない程度の動作なのだ。

ほんの一瞬の判断ミスで、命を落とす。

これまで数多くの魔物と相対してきたけれど、倒すイメージが全く湧かないのは初めてだった。

——けれどそれは、普通の魔物の場合の話だ。

「アルバート！」

「はい」

たった一度、名前を呼んだだけで彼には全てが伝わったらしい。

彼の腕を振り払って走り出した私を、アルバートは止めなかった。

ハヴェルへ視線を送ると、こちらを一瞬見た彼も無言で片側の口角を上げた。

（きっと二人なら、ドラゴンにも引けを取らない）

そう信じて、糸の先へと走っていく。

「あれ、逃げるんだ？」

つまらないとでも言いたげな顔をしたカシュパルは、私を知らないのだろう。

ただドラゴンを恐れて逃げ出した魔法使いの女だとしか思っていないのなら、その油断は大きな隙になる。

やがて糸の先、洞窟の奥に辿り着いた私は、思わず口元を手で覆った。

「なんて、酷いことを……」

狭い牢の中に、所狭しと数え切れないほどの子ども達が押し込められている。

その数は百人以上で、髪や肌の色を見る限りオルムステッド帝国やヴィクルンド王国以外の国からも集められているようだった。

（……絶対に許せない）

痩せ細り息も絶え絶えな子どもが大半で、人間に対する扱いではなかった。カシュパルは子ども達を「魔物を操るための道具」としか思っていない。

虚ろな目をした子ども達は私の姿を見ても表情ひとつ変えず、諦めたような表情を浮かべていた。

これまで心がすり減るくらい、酷い扱いを受けてきたのが分かる。

少しでも安心してほしくて、胸が張り裂けそうになりながら笑顔を向けた。

「もう大丈夫よ。あなた達を助けに来たの」

ドラゴンの唸り声や爆発音が響き、地面が揺れた。

アルバートとハヴェルは今この瞬間も命の危険と隣り合わせの中、ドラゴンと戦い続けてくれている。

彼らが作ってくれているこの時間を、一秒たりとも無駄にはできない。

必ず全員助け出すと誓い、ドラゴンを倒すために黒い糸が巻き付いている子ども達のもとへ駆け寄った。

——ドラゴンは子ども達の生命力を元に動いているのだから、それらを断ち切れば死体に戻るはず。

「……っ」

一人目の六歳ほどの男の子は既に意識がなく、呼吸も浅い。

急ぎ自身の手に防御魔法を纏い、以前と同じく糸をかき分けていき、奥に赤い水晶のようなものを見つけた。

魔法で割ると、巻きついていた糸が消えていく。男の子の顔色も少し良くなり、この方法が間違っていないのだと胸を撫で下ろす。

(まず、ひとつ)

すぐに次の子どもの元へ移動し、糸を解き始める。想像していた以上に糸が巻きついた子どもの数は多く、焦燥感が募る。

既に洞窟の外の魔物は全て倒したと聞いているし、死したドラゴンを動かし操るためには、多くの生命力が必要となるのだろう。

防御魔法を使いながら、子どもの身体に傷を付けないように慎重に水晶を割るのは魔力だけでなく、精神力も削られていくのが分かる。

今もドラゴンと対峙しているアルバート達のことを思うと、尚更だった。

「……っはあ……」

手で汗を拭い、二人を信じて休まずに続けていく。

そして三十四人分の糸を切った私は呼吸を整える間もないまま、腰から下げていた鞄から魔法陣用のインクを取り出した。

（これだけでは再び魔道具を使われた場合、同じことの繰り返しになるもの）

この牢全体に展開する防御魔法の術式を描いていく。魔法陣がなくとも防御魔法は使えるものの、強度が違う。

相手は古代魔道具なのだから、半端なものでは無意味になる可能性だってある。

もう絶対に子ども達に手出しはさせないと、ありったけの魔力を込めた。

無事に魔法陣を完成させた後は、重い身体を引きずってアルバート達がいる方へと向かう。

「グルアアアア！」

近づくたびに肌を焼くような熱気が濃くなっている。

開けた場所は炎に包まれており、防御魔法を解いた途端、命を落とす状況でアルバートとハヴェルはドラゴンとの戦闘を続けていた。

唸り声を上げるドラゴンの片腕は地面に転がっており、あんな化け物相手に防戦一方ではなかった彼らに、心から尊敬の念を抱いた。

「アルバート、全ての糸を切ったわ！」

そう叫ぶと、数十メートル先にいたアルバートの紫の瞳がこちらへ向けられた。

そして彼の唇が「ありがとう」と動いた次の瞬間、アルバートは自身に身体強化の魔法を重ねがけし、地面を抉って踏み込んだ。

私の目でも追うのがやっとなほどの速度に、息を呑む。

アルバートはドラゴンと死闘を繰り広げながらも今この瞬間まで、魔力とこの一撃を温存していたのだろう。

――私が必ず子ども達とドラゴンを切り離してくると、信じて。

「グオオオオ！」

ドラゴンの動きは、先程よりも鈍くなっている。

それでもまだ体内には奪った生命力が残っていて、ここで仕留めなければまだドラゴンの活動は続くという嫌な予感があった。

「――これで最後だ」

アルバートが全力で剣を振り抜き、剣閃が飛んでいく。

辺り一帯の岩壁を切り裂き、燃え上がっていた炎をも薙ぎ払う。

そして――ドラゴンの巨体の上から、首がずれた。

それが地面に落ちるずん、という聞き慣れない音が響いた瞬間、全身の力が抜けた私は、その場にへたり込んだ。

（……本当に、倒せた）

魔道具に操られていた死体であったとしても、あのドラゴンは私がこれまで見てきた中で最も暴力的で、恐ろしいものだった。

ドラゴンの死体を確認するアルバートと、カシュパルを拘束するハヴェルも無事なようで、ほっと胸を撫で下ろす。

「……う、っ……あ……」

直後、どくんと心臓が大きく波打ち、息がうまく吸えなくなる。あれほどの魔力を消費したのだから当然だし、分かっていたことではあった。

むしろ自分が成すべきことをやり切ったのだから、誇らしさすら感じる。

「ユフィ！」

地面に倒れ込んだ私に気付いたアルバートが、こちらへ駆け寄ってくる。

「……お前ら、どうなってんだよ」

やがて呆れたようなカシュパルの声が耳に届いた瞬間、私は意識を手放した。

第七章　居場所

「ユーフェミア様、あーんしてください」

「……あーん」

「ふふ、よくできました」

満足げに微笑むドロテは、私の口内に差し入れたスプーンを満足げに引き抜く。

口の中には甘い果物ゼリーの味が広がって、思わず口角が緩みそうになるのを片手で押さえて堪えた。

「食事くらい、自分で食べられるわ」

「いいえ。三日も意識が戻らなかったんですから、できる限り安静にすべきです」

私を抱っこしてソファに座っているサビナは、大真面目な顔で言ってのける。

もはや赤ん坊にでもなった気分で、いたたまれない気持ちになる。

「そもそも椅子にだって、一人で座れるわ……」

そんな私の呟きを右から左に聞き流し、ドロテは再びゼリーを掬ったスプーンを私の口元へと運んだ。

――魔力を使い果たした後、私は洞窟内で子どもの姿になって意識を失い、それから三日間も眠ったままだった。

命に別状はなかったもののアルバートをはじめ、サビナやドロテ、ネイトなど皆心から心配し、様子を見に来てくれていたそうだ。

アルバートは特に、常に私の側から離れなかったという。

目が覚めてからもう五日が経つというのに、こうして朝から晩まで常に誰かが側にいて甲斐甲斐しく世話を焼いてくれていた。

（……それでも、悪い気はしないから困るのよね）

決して口には出せないけれど、なんだかんだ私は皆に甘やかされるのが好きなのだと、認めざるを得なかった。

過去の私がこの姿を見たら、気が触れたとでも思うに違いない。

「それと、先程リデル王国からお荷物が届いておりました」

「またお兄様から？」

「いえ、テレンス様からです」

「……あ」

食事を終えた後、サビナから封筒を受け取ると、そこには几帳面な性格がよく出ているテレンスの字で彼の名前が綴られていた。

封筒はかなり分厚く、ぎっしりと資料が入っているのが分かる。

(なかなか返事が来ないと思っていたけれど、ちゃんと調べてくれたみたいね)

後でゆっくり目を通そうと考えていると、ノック音が耳に届いた。

「ユフィ、体調はどうですか」

「五日前からずっと問題ない……ってもう、抱き上げなくていいから！」

私の部屋へ入ってきたアルバートは、何度も平気だと伝えているのに、未だにひどく心配げな顔をする。

後処理で忙しいはずなのに、彼はこまめに会いにきてくれていた。

サビナからアルバートへひょいと手渡された私は、そのまま高い位置で抱き上げられてしまう。

「もう！　自分で歩けるわ！」

「万が一、お怪我をされては困りますから。こんなにも愛らしいお姿なので、再び攫われてしまう可能性だってあります」

「………」

以前、メイドに誘拐された時のことを言っているのだろう。

そんなことを言ったらキリがないものの、あの時どれほど心配してくれていたのかも知っているし、大人しくアルバートの肩をぎゅっと摑む。

「いい子ですね」

「子ども扱いしないでちょうだい！」

「はい、申し訳ありません」

笑顔で全く反省する様子のないアルバートは私を抱いたまま、部屋を出ていく。

「どこへ行くの？」

「少し外を散歩しようかと思いまして。適度に陽の光を浴びるのも、健康には大切だそうです」

薔薇庭園へ向かうらしく、目覚めてからは過保護な周囲の人々によってずっと部屋に閉じ込められていたため、良い気分転換になりそうだ。

「ユーフェミア様、お散歩ですか？　お気を付けて行ってらしてくださいね」

「後で料理長がユーフェミア様のお好きなアップルパイを焼くそうですよ」

「今日は東庭園が見ごろだそうです。ぜひ」

アルバートに抱き上げられたまま王城の敷地内を進んでいくと、多くの使用人達に声をかけられた。

その度に自然に「ありがとう」と返事をしながら、心が温かくなるのを感じる。

（……本当、昔とは大違いだわ）

リデル王国ではいつも、誰もが私を避けていた。

叱られたり文句を言われたりするばかりで、私と関わってもいいことなどないと思っていたからだろう。

そう思われるのも当然で、私は常に他人を見下す態度を隠そうともしていなかったし、他人の粗ばかりを探していた。

先程、料理長がアップルパイを焼くと声をかけてくれたメイドのミアだって、よく忘れ物をするし、洗濯の途中で外で眠りこけているのを見たこともある。

けれどそれ以上に、彼女の良いところを私は知っている。

顔を合わせるたびによく喋るミアはいつも明るくて前向きで、王城に勤める大半の人と気さくに話すことができる子だ。

まだ幼い弟妹のことを大切に思っている、優しい姉でもあった。

私が勝手に自分より「下」と位置付けていた人々にも良いところはたくさんあるかもしれないし、私より優れている部分もあるかもしれないのに。

過去の私はそれを知ろうともせず、自分以外の人間を嫌って生きてきた。

今はそれが、とてももったいないことだと気付いている。

(それでもきっと、まだ遅くないわ)

今後は過去に気付けなかったこと、できなかったことに目を向けていきたい。

「ユフィ?」

「ごめんなさい、少し考えごとをしていたの。そういえば、カシュパルはどう?」

「大人しくしています。元々魔法使いとしては弱く、古代魔道具の力と口上の上手さだけでのし上がった男ですし、魔道具を奪われて観念したんでしょう」

「……そう」

カシュパルが所持していた古代魔道具は現在、神殿にて封印されている。

子どもの命を削って魔物を操るという恐ろしい能力を持つ以上、使うことなど到底許されない。

再び悪人の手に渡ることがないよう、厳重に守っていくことになる。

ドラゴンの死骸も二度と悪用されることがないよう解体され、防具や素材として使われていくそうだ。

「子ども達も無事で良かったわ」

「はい。二度とこんなことが起こらないよう、手を尽くしていきます」

洞窟を覆う結界は帝国の腕の立つ魔法使い総出で解かれ、救出された子ども達は手厚い治療を受け、それぞれの家へ帰されることになっている。

ただ孤児なども多く、帰る場所のない子ども達の居場所として、孤児院の支援も続けていくことになった。

全てが元通りになるまで時間はかかるものの、帝国と王国ともにできる限りのことをしていくつもりだという。

「本当にありがとうございました。ユフィがいなければ、ドラゴンを倒すことはできませんでしたから」

「そんなことはないわ。あなたとハヴェルのお陰でもあるし、三人ともがいなければきっと倒せなかったもの」

「……はい。ありがとうございます」

困ったように眉尻を下げて微笑むアルバートは、ドラゴンに向かっていった時とはまるで別人のようだった。

「それにあの時のアルバート、すごく格好よかった！」

ドラゴンの首を落とした時のアルバートの姿は、今でも目に焼き付いている。

きっと「惚れ直す」というのは、こういうことを言うのだろう。

「ユフィ？」

「あっ、ごめんなさい」

そんなことを考えているうちに黙り込んでしまった私の顔を、アルバートは至近距離で覗き込むものだから、どきりとしてしまう。

初めて見た時もあまりの美しさに驚いた記憶があるけれど、毎日のように顔を合わせていても、その圧倒的な美貌に慣れることはない。

庭園へ向かって歩き続けるアルバートの頬に、小さな手でぺたりと触れてみる。

「どうかされましたか？」

「あなたって本当に綺麗だと思って。どんな宝石よりも美しいわ」

きめの細かい日焼けのしていない肌も、煌めくアメジストの瞳も、輝く銀髪も、何もかもが完璧で美しくて目を奪われる。

（やっぱり子どもの姿だと、あまり恥ずかしさとか抵抗感がないのよね）

毎晩一緒に眠っていたせいなのか、側から見ると男女というより兄妹、むしろ親子ほどの年齢差があるせいなのかは分からない。

けれど、普段は恥ずかしくて近くで目も合わせられない分、ついついじっくり見てしまう。

するとだんだんと、アルバートの整いすぎた顔が赤く染まっていく。

「……っ」

「アルバート？」

「申し訳ありません、中身は大人のユフィだと思うと、お褒めの言葉につい照れてしまって……」

「ふふ、変なの」

私からすれば抱き合ったりキスをしたりする方が、よっぽど照れくさいのに。

そういう時はアルバートはいつも自然でスマートで、なんだか不思議で笑ってしまう。

照れている姿も可愛くて、このまま甘えてしまおうと抱きついた時だった。

「お前ら、その姿でいちゃつくのは流石にアウトだろ」

呆れの混じった声に振り向けば、そこにはハヴェルと側近のヤンの姿があった。

ずかずかとこちらへ近づいてくると目の前で止まり、指先で私の頬に触れようとした——ものの、アルバートによって思い切り振り払われている。

「少しくらいいいだろ。ユーフェミアを俺にも抱かせてくれよ」

「お前がそう言うと、なんだか気色が悪いわ」

「何を考えたんだ？　変態」

冷ややかな眼差しを向けると、ハヴェルは楽しげに声を立てて笑う。アルバートはさらに冷たい空気を纏っており、私を抱きしめる腕に力を込めた。

「本当、冷たいよな。明日にはお別れだってのに」

「……そうね、そうだったわ」

ノヴァークを壊滅させた以上、この国に留まる理由はない。

それでもこの数週間、毎日当たり前のように顔を合わせていたせいか、なんだか胸のあたりがぎゅっと締め付けられる感覚がした。

「ちゃんと見送りには来いよ」

私の返事を待たずにハヴェルはひらひらと片手を振り、去っていく。

ヤンも丁寧に礼をすると、ハヴェルの後をついていった。

「ふん、せいせいするわ」

「………」

そしてそれからアルバートはずっと、どこか上の空だった。

私はそう言って笑ったけれど、アルバートの笑顔はぎこちなく感じられる。

「ふふ、さっきと逆ね」

「……すみません、ぼんやりしていました」

「アルバート？」

翌日の昼過ぎ、私はアルバートと共に王城の正門へとやってきていた。

もちろん、帰国するハヴェルやヴィクルンド王国の騎士達を見送るためだ。

大勢の人で賑わう中、一際目立つハヴェルはすぐに見つかり、腕を組んで馬車に背を預け、いつも通りの偉そうな様子で待ち構えていた。

「お、来たか。おせえよ」

「本当に勝負はしなくていいのか」

内心少しだけしんみりとしていたものの、アルバートの第一声がそれで、呟き込みそうになってしまう。

その上、嫌味でも煽りでもなく大真面目に聞くものだから、ハヴェルも「悪かったって」とアルバートの肩を叩いて笑っている。

「俺は他人を寄せ付けない、尖ったユーフェミアを気に入ってたんだ。こんなぬるい子どもみたいな女に興味はねえよ」

「は？　私だってお前なんて願い下げよ」

好き勝手言われた上に何故か振られてしまい、心の底から解せない。けれど無駄に二人が争うこともないようで、ほっとしていた。

「……ユーフェミア様、俺は騎士団長と話をしてきます」

「えっ？　ええ、分かったわ」

そんな中、アルバートは突然この場を離れ、ハヴェルと二人きりになる。

ハヴェルに対して「二度と近寄れないようにする」なんて言っていたアルバートが私をここにあっさりと置いていくのは、正直意外だった。

大事な用事があったのだろうかと小さくなっていく背中を見つめていると、ハヴェルは大きな溜め息をついた。

「……最後の時間ってか？　あいつも本当にぬるいよな」

「どうかした？」

「アルバートが冷血皇帝なんて呼ばれているのが、馬鹿らしいと思っただけだ」

「それには同意するわ」

ふふっと笑った後、私達の間にはなんとも言えない沈黙が流れる。

こうして改まってみると、何を話していいのか分からなくなる。

思い返せばハヴェルとの会話は憎まれ口を叩かれるか、魔法についての話をするかくらいしかなかった。

「お前今、俺と話すことがないって考えてるだろ」

「ええ。過去にまともな会話が一切ないと思って」

「ははっ、だろうな」

やはりこれくらいがちょうどいいと思っていると、不意にハヴェルの右手が伸びてきて、私の唇に触れる——直前でぴたりと止まる。

じっと動かずに見つめ返していた私に、ハヴェルは形の良い眉を寄せた。

「なぜ止めない？」

「あなたはそんなことしないもの」

軽薄（けいはく）な言葉を口にするけれど、ハヴェルは私が本当に嫌がることはしない。

俺様で腹立たしいところはあるものの、しっかりと線引きはするし、優しい真面目な人だということだって今はもう分かっていた。

「……お前の、そういうところが嫌なんだよな」

「好きの間違いでしょう？」

冗談めかして鼻で笑うと、ハヴェルはこれまで見たことがないくらい、柔らかく目を細めて微笑んだ。

私でも、思わずどきりとしてしまったくらいに。

「ユーフェミア、幸せになれよ」

問いに対する答えの代わりにそう言って、頭にぽんと手を乗せる。

「じゃあな」

「ええ」

そしてハヴェルはくしゃりと髪を撫でると、いつもの不敵な笑みを浮かべ、背を向けて豪勢(ごうせい)な馬車に乗り込んだ。

それからはもう、彼が窓越しにもこちらを見ることはなく。

「…………」

やがて走り出した馬車が小さくなっていく光景を眺めていると、やはり胸のあたりが締め付けられる感覚がした。

（どうせまた顔を合わせる機会があるはずなのに、変なの）

　ここ数週間、毎日当たり前のように顔を合わせていたこと、きっと最後の様子が彼らしくなかったことで、調子が狂ってしまったのだろう。

『お前が何もかも嫌になったら俺が全てなんとかしてやるから、いつでもヴィクルンドに来いよ』

　――数年前、ハヴェルがそう言ってくれた言葉に、救われたこともあった。

　本当に行くつもりなんてなかったけれど、王女としての重圧に苦しんだ時、私にも逃げ場があるというのは、心の支えになった記憶がある。

　私は自分が思っていたよりもずっと、ハヴェルという人を好ましく思っていたのかもしれない。

　そんなこと、絶対に口に出さないけれど。

「寂しいですか？」

「さあ、どうかしら」

　いつの間にか戻ってきていたアルバートは、私の返事に眉尻を下げて微笑んだ。

　なんだかんだ昔からの知人である私とハヴェルに気を利かせ、二人きりにしてくれていたのだろうと、ようやく気付く。

「……ふふ」

大人の対応をしてくれながらも、その横顔には少し拗ねているのが見て取れて、そんなところも可愛くて大好きだと思う。

私が笑ってしまったことで、さらにアルバートは眉を寄せた。

「どうして笑うんですか」

「アルバートが大好きだと思って」

「そう言えば、俺がなんでも許すと思っているでしょう」

「あら、違った？」

悪戯っぽく尋ねると、アルバートもつられたみたいに小さく笑う。

「その通りです。ですから悪用はしないでくださいね」

「ふふ、善処するわ」

彼の素直な返事にまた笑ってしまいながら、差し出された手を取る。

けれど歩き始めてすぐ、アルバートはぴたりと歩みを止めた。どうしたんだろうと思いながら私もつられて足を止め、アルバートを見上げる。

アルバートは、ひどく真剣な表情で私を見つめていた。

「……俺の側にいると決めたことを、後悔しませんか？」

突然の問いに驚きつつ、ここ最近の彼の行動や様子に納得がいった。

私がハヴェルの求婚を断ってアルバートを選ぶことに、少しの不安を覚えていたのだと。

「ええ。一生、絶対に後悔なんてしないわ」

大好きな彼のアメジストの瞳をまっすぐに見つめ、はっきりと答える。

これは予想でも予感でもなく、確信だった。

私はこの先の人生でアルバート以外を好きになることなんてないし、今日よりも明日、この先ずっと毎日さらに彼のことを好きになる自信さえある。

「あなたこそ、後悔したりしない？　私は離婚なんて考えていないけど」

そう言って笑ってみせると、ぐいと繋いでいた手を引かれ、アルバートの腕の中に飛び込む形になる。

きつく抱きしめられ、耳元にアルバートの口が寄せられた。

「……俺だって、頼まれたってしてあげませんよ」

「ふふ、それは良かった」

こんなにもアルバートのことが好きなのに、まだまだ伝わっていないらしい。

(これから先、時間をかけてじっくり伝えていかないと)

——この先たとえ何があっても、誰になんと言われようとも、私の帰る場所はずっと大好きなアルバートの隣なのだから。

幕間

ヴィクルンド王国へ向かう馬車に揺られながら、帰国後の国務に関する書類に目を通していたところ、向かいから強い視線を感じた。

「……どうした？」

「ハヴェル様はいいんですか？　本当にこれで」

向かいに座る側近のヤンは、真剣な表情でこちらをじっと見つめている。

この顔をする時、俺を心配しているのだと気付いたのはいつだっただろうか。

「何がだ」

ヤンが何を言わんとしているのか分かっていても、気付かないふりをする。ヤンも俺があえてそうしていると理解しているくせに、なおも続けた。

「ユーフェミア王女様のことです」

「…………」

「変わってしまったユーフェミア様に興味がないなんて、嘘でしょう」

「……お前は本当に、言わなくていいことを言うよな」

それでいて、一番に俺のことを見ている。

だが、滅多に本音を口に出さない俺にとって、彼の存在はありがたくもあった。

――ユーフェミアが死んだと聞いた時、あまりにも実感が湧かなかった。誰よりも強い彼女が死ぬはずなどない、何かの間違いだと思った。

そう思いたかっただけかもしれない。

すぐにリデル王国を訪ねたが、彼女の遺体をひと目見ることすら叶わなかった。

どう考えてもおかしいと分かっていたのに、俺はそれ以上何もしなかった。

ユーフェミアの死について調べることも、彼女がどこかで生きているという希望を持つことさえも。

そうして時折、ふと彼女を思い出しては胸が痛む日々を送っていたある日。

『……は？　ユーフェミアが生きていた？』

そんな信じられない知らせが舞い込んできたのだ。

やはりユーフェミアが死ぬはずがなかったのだと、安堵と喜びが込み上げる。

だが、同時に知らされたのは、オルムステッド帝国の皇帝であるアルバートと彼女の婚約だった。

いずれリデル王国の女王になるはずだったユーフェミアが、あっさり他国に嫁ぐなんて信じられるはずがない。

俺と同様、もしくはそれ以上に彼女がそのためにどれほど必死に努力をしてきたかを知っているからだ。

——年齢が同じであること、互いに王族の末子であること、何より隣国ということもあって、アルバートとも幼い頃から何度も面識があった。

兄王子達に虐げられていた魔力もない無能な王子だったアルバートは、十六歳の誕生日の祝いの場で、見事な魔法と膨大な魔力量を大勢の前で知らしめた。

俺もその場に呼ばれていたが、その光景に愕然とする王妃や兄王子達の反応は、事情を知らずとも胸がスッとするほどの見物だった。

『お前、面白いな。何か困ったことがあれば、俺に言うといい。面白いものを見せてもらった礼に力を貸してやるから』

『ああ、助かる』

てっきりこのタイプは俺の申し出など一蹴（いっしゅう）すると思っていたため、あっさりと受け入れたことで余計に興味が湧いた。

本来なら俺のような人間に力を借りるなど、不本意極まりないだろう。

だが、あれほどの魔力を持ってなお、アルバートは自身が王位継承争いにおいては不利な立場にあると理解しているのだろう。

『俺はハヴェル・ヴィクルンドだ。同い年だろう？　ハヴェルでいい』

『……俺もアルバートでいい』

（オルムステッドも次代で終わりだと思っていたが、面白いことになりそうだ）

そしてこの男がいずれオルムステッドを背負っていく存在になると、確信した瞬間でもあった。

結局アルバートが俺を頼ってくることはなく、オルムステッドの頂点に立った後に顔を合わせた際、何度か言葉を交わす程度だった。

『最近、頑張っているようじゃないか。よく話は聞いている』

『お前こそ』

お互いに言葉にはしなかったが、心の中では認め合っていたように思う。

とはいえ、何に対しても興味なさげで感情の起伏（きふく）を一切見せないアルバートが、あんな派手な真似をしてまで王位を求めた理由は気になっていた。

まさかそれがユーフェミアだったなんて話、誰が想像できただろうか。そもそもアルバートが彼女のような女性を好ましく思うこと自体、意外だった。

そもそもユーフェミアを本気で娶ろうとしている人間なんて、俺くらいだと思っていたのだ。

大陸一の美しさと魔力を持っていたとしても、俺はきっと彼女が他人に一切なびかないこと、そして「悪徳王女」なんて呼ばれていることに安心していた。

『……お前、本当に変わったな』

『なんだか嫌そうね』

『そう、かもしれない』

だからこそ俺は、彼女の変化も喜ぶことができなかった。

(本当はユーフェミアがそんな人間じゃないと、知っていたのにな)

口も態度も悪いせいで誤解されやすいが、彼女の強い正義感と、ある意味公平で誰にでも平等な部分に救われている人間も少なくなかっただろう。

かく言う俺だって、そのうちの一人だったというのに。

だが俺は、俺以外の人間はユーフェミアに興味を示さない方が好都合で、理解する必要なんてないと思っていたから、周りに否定しようともしなかった。

だが、アルバートは俺とは違う。

ユーフェミアが生きていたと知らされ、婚約を発表した後、彼女の悪評を取り払おうとしていたのだから。

きっとそんな話も、ユーフェミアには知らせていないのだろう。

――アルバートはユーフェミアが周りから愛されるよう、彼女を取り巻く世界が少しでも優しいものになるよう、努力を重ねていける人間だった。

だからこそ、いつも何かを諦めたような、冷めた目をしていたユーフェミアが今やあんなにも変わり、幸せそうに微笑んでいるに違いない。

「完敗だよ、完敗。俺の出る幕なんてありゃしない」

お手上げだと両手を掲げ、肩を竦めてみせる。

何度か試すような真似をしてみたところで、二人が想い合っているのを思い知らされるだけだった。

この先も、どうせ上手くやっていくのだろう。

本当は最初からきっと、ユーフェミアの選択に間違いはないと分かっていた。

「それでも、長年の想いを伝えることさえできないなんて……間違いなくハヴェル様のお気持ちには気付いていなかったでしょう」

「ああ、だろうな」

賢いくせに変なところだけ鈍感なユーフェミアは、王妃に迎える人間として最も都合が良いという理由で口説かれていると思っているのだろう。

俺はずっと、彼女自身に惹かれていたというのに。

――ユーフェミアに初めて会ったのは、八歳の時だった。

当時の俺は魔力量と魔法における才能を自負しており、自身が最も優れた魔法使いであり、王になるのも間違いないと信じて生きていた。

そして周りも俺を持て囃し、その考えは助長するばかりで、俺はいつしか手がつけられないほど傲慢な人間になっていた。

『お前、最低ね。恥ずかしいと思わないの？』

そんなある日、使用人を虐げていたところ、偶然出会したユーフェミアに思いきり頬を打たれたのだ。

見下していた女という生き物に殴られた上に「最低」「恥ずかしい」などと言われたことに対する怒りが湧きながらも、その美しさから目を逸らせずにいた。

『何よお前、こんな状況で私に見惚れているの？』

『ふ、ふざけるな！　誰に向かって舐めた口を利いているか分かっているのか？』

『お前みたいなしょうもない奴、この私が知るはずないじゃない』

その後、怒りが限界に達してユーフェミアに攻撃をしかけたものの、大勢の前で思い切りのされてしまった。

手も足も出ないとは、ああいうことをいうのだろう。

そして、これまでのちっぽけなプライドなんて無意味だったと思えるくらい、ずったずたに心を折られた。

それからはユーフェミアを見返してやろうと努力を重ねるうちに、自分を省みるきっかけにもなり、今の俺がある。

――ユーフェミアだって高飛車で傲慢な、嫌な女だ。

だが、絶対に弱いものを虐げたりはしない。自分の強さと、その正しい使い方を知っているからだ。

ユーフェミアは俺を殴った記憶もなく、自分と似た人種だと思っているようだが大きく違う。

俺がユーフェミアのようになりたくて、自分を変えたのだ。

あの日、彼女に殴られていなければ今も愚かなままだったと思えるほど、ユーフェミアは強烈で鮮明で、眩しかった。

「――いいさ。元々、様子を窺うだけのつもりだったんだ」

そもそも俺はユーフェミアに本気で断られるのが怖くて、冗談に見えるよう振舞っていたのだから、自業自得でしかない。

だが、それで良かった。

「それにあいつは、余計なことを気にするから」

もしも俺の好意を知れば、断ったことに対する罪悪感を抱き続けるに違いない。

ユーフェミアにはそんな優しい部分があることだって、知っていたのに。

――もしも好きだと素直に伝えていたなら、彼女のために行動を起こせていたのなら、違う未来があったのだろうか。

そんなありえもしないことを想像してしまい、愚かだと自嘲する。

「……だが、思っていたより好きだったな」

ぽつりとそう呟けば、ヤンが子どものようにぼろぼろと泣き出す。

どうしようもないと笑ってしまいながらも、少し心が軽くなった気がした。

最終章　幸せな未来へ

「……なんだか不思議な気分だわ」

美しい帝国の都の夜景を眺めながらそう呟くと、同じく隣で夜景を眺めていたアルバートがこちらを向いたのが分かった。

「何が不思議なんですか？」

「私ってもう、ユーフェミア・オルムステッドなんだもの」

そう答えると、アルバートは「そうですね」と照れくさそうに微笑んだ。

――大聖堂での結婚式を終えた私達は今、王城の大広間にて行われている盛大な披露宴パーティーの真っ最中だった。

そんな中、少し外の空気を吸いたいと主役二人でパーティーを抜け出して、人気のないバルコニーへと出てきている。

ネイトやミランダに任せてしまっているし、なるべく早く戻らなければ。

「あなたのお陰で、とても素敵な結婚式になったわ。ありがとう」

「こちらこそ。ユフィがあまりにも女神のように美しいせいで、これが現実かどうか不安になりました」

「もう、何よそれ」

結婚式は互いに純白のドレスとタキシードを身に纏い、近しい関係の招待客に見守られる中で祝われる、素晴らしく幸せなものになった。

リデル王国からは両親とお兄様も参列し、祝福してくれた。

お母様と交わしたのは「おめでとう」「ありがとう」という短い言葉のみだったけれど、式の最中に小さく微笑みながら涙を流す姿を見て胸がいっぱいになった。

私は自分がお母様を恨んでいると思っていたけれど、顔を見た時、恨みごとなんてひとつも出てこなかった。

厳しい指導のお陰で今の私があること、何より今の私が心から満たされていることが理由なのかもしれない。

そしてお兄様は手紙で聞いていた通り、婚約者の尻に敷かれながらも、いずれ国王になるために努力を重ねているそうだ。

もちろん、ミランダや友人の令嬢達も参列してくれている。

ハヴェルにも招待状を送ったところ、都合がつかないとの返事がきたものの、恐ろしく豪華なお祝いの品が届いた。

（それにしても、驚くほど祝われて拍子抜けしたわ）

式は限られた近しい人々がメインだったけれど、披露宴は帝国の上位貴族など、大勢の貴族を招待している。

私の悪評が国を跨いで流れていることは知っているし、他国から突然嫁いできた人間に対し、敵意がある人間がいるのも当然だ。

だからこそ気合を入れて臨んだというのに、大勢の参列者の誰からもマイナスな感情を向けられることはなかった。

それでもこれで「私は全ての人から歓迎されているんだわ！」と喜べるほど、私は純粋でも世間知らずでもない。

この国の全ての人が私をよく思っているはずなんてないし、今日という日を晴れやかな気持ちで迎えられるよう、アルバートが動いてくれたのだろう。

そして、それだけではない。

『本当に好きな相手と結婚できるのなら、きっとどんな場所でもどんな姿でも幸せなんでしょうね』

『……きっと、そうだと思います』

以前そんな会話をしたにもかかわらず、今日という日のためにアルバートはあますことなく手を尽くしてくれた。

ダイヤモンドと真珠がふんだんにちりばめられた純白のウェディングドレスは、これまで見てきた中で最も美しいものだ。

式場だって披露宴の会場だって、誰もが「これは帝国の歴史に残るだろう」と驚くほど、豪華絢爛で華やかなものだった。

その大半がアルバートの私財から賄われている上に、一生に一度の大事な機会だからと多忙な中で寝食を削ってまで、全て彼自らが指揮をして準備してくれた。

『ユーフェミア様には、自分と結婚して良かったと思っていただきたいんだとか』

『……アルバートは馬鹿ね。そんなの、最初からずっと思っているのに』

ネイトからこっそりそんな話を聞いた時には、目頭が熱くなった。ネイトの前でなければぽろぽろ泣いてしまっていたに違いない。

「ねえ、アルバート」

「はい」

「大好きよ、本当に」

そう言って抱きつくと、アルバートは一瞬だけ驚いた様子を見せたけれど、すぐにぎゅっと抱きしめ返してくれる。

「未だに夢の中にいるみたいです。あなたにずっと焦がれて、遠目で見ているだけだったのに、夫婦になれたんですから」

「私だって同じ気持ちよ」

以前の私は結婚というものに対して、何の夢も憧れもなかった。ただ国のために都合の良い相手と結婚し、血を残すだけ。

そこには私の意志なんて何ひとつないけれど、貴族ですら当然のことなのだし、王女である以上は当然のことだと受け入れていた。

だからこそ、愛する相手とこんなにも幸福で満ち足りたものになるなんて、大袈裟でなく夢みたいだと思う。

「そういえば、こうして触れ合うのもなんだか久しぶりね」

「はい。互いに多忙でしたから」

元々の仕事はもちろん先日の事件の後処理、結婚式の準備もあったことで、一緒に過ごすのは食事をとる時間くらい。

「最後にこうしたのって、子どもの姿の時だったわ」

今や子どもの姿になるのも懐かしい――と言いたいところだけれど、実は魔力の使いすぎで三日前にも子どもの姿になったばかりだった。

――今から一ヶ月前、テレンスの調査結果や、帝国の魔法使いの協力のもと、私にかけられた魔法の書き換えをしようとしたものの、失敗に終わってしまった。

正確には失敗ではなく、途中で終わっている。

やはり偶然歪んだ魔法――それも元々強く複雑な魔法となると、より解くのは難解で厄介になる。

それでもテレンスや帝国の魔法使い達の協力もあり、なんとか半分ほどは解析して解くことができ、一部は書き換えることに成功した。

その結果、魔法を使ってもある程度まで魔力を消費しない限りは、子どもの姿になることはなくなった。

(目眩や息苦しさが解消されたことが、一番安心したわ)

歪んだ魔法に対して身体が抵抗していたことが原因だったようで、拗れていた部分を書き換えた結果、解決することができた。

つまり今の私は『多くの魔力を使った場合にだけ、一時的に子どもの姿になってしまう状態』だった。

「お力になれず申し訳ありません。いつか必ず、完璧に解いてみせます」

「ありがとう。でもね、実は心のどこかでは少しだけ安心したの」

素直な気持ちを口に出すと、アルバートは思いもよらなかったという顔をした。

私自身も、こんな風に思う日が来るなんて想像すらしていなかった。

(きっと、悪いことだけではなかったからだわ)

——最初は死にかけた状態で見知らぬ国に来て、絶望していた。

元々子どもなんて好きではないし、子ども時代に良い思い出だってない。

その上、一番の取り柄である魔法も使えないのだから、不安で仕方なかった。

けれどアルバートに拾われ、彼もネイトもドロテも使用人達も皆、私によくしてくれた。

『俺が怖いものを全て取り払ってやるから、安心していい』

『俺は、君のそばにいる』

何も持たないただの子どもの「ユフィ」を、大切にしてくれた。

たくさんのことを我慢し、辛いことが多かった幼い頃をやり直すような優しくて温かい日々のお陰で、私は変わることができたのだ。

自分以外の人間が嫌いで周りを見下していた私の世界が、好きなもので溢れ、周りの人々の良いところに目を向けられるようになった。

甘え方なんて知らず、弱さを見せては足をすくわれると思っていた私が、素直に甘え、誰かを頼ることができるようになった。

自分の意志で、自分の望む未来に向かって行動することができるようになった。

そして明日や未来が楽しみで、幸せだと思えるようになったのだから。

「……本当に、綺麗な国ね」

再び都の街並みへと、視線を向ける。

無事にノヴァークを壊滅させたことで、帝国内には平穏が訪れている。

カシュパルをはじめとする幹部は全て死刑となり、それ以外の構成員達も無期懲役という重い刑罰が科された。

これで本当に一件落着だと改めてほっとしつつ、そろそろホールへ戻ろうと、隣に立つアルバートを見上げる。

その横顔は少しだけ泣きそうなものに見えて、開きかけた口を閉じた。

そんな私に気付いたらしいアルバートは、眉尻を下げて笑う。

「少しだけ、昔のことを思い出していました」

「昔のこと？」

「はい。俺は元々この国が好きではなかったんです。どうだって良かった」

「――え」

「生まれてからずっと、良い思い出がなかったので」

初めて聞く話に、戸惑いを隠せなくなる。

それでもアルバートのことを知りたくて、静かに相槌を打つ。

「初めはただ俺を虐げていた王妃や兄達に好き勝手をさせないために、そして俺自身が生き抜くために国王の地位を目指しました」

「……うん」

「そんな血を血で洗う日々の中でも、あなたに関する報告を聞くのが一番の楽しみでした。今思うと大勢の間者(かんじゃ)を放って事細かく報告させるなんて、どうかしていたと思います。申し訳ありません」

初めて聞いた時は正直驚いたけれど、私も今はアルバートのことが好きだから、気にならなかった。

むしろそこまでさせるほど、長年私を想ってくれていたことが嬉しいとすら思えるのだから、私だってどうかしているのかもしれない。

「女王となるべく努力を続けるあなたが眩しくて、憧れていました。災害が起きた際には駆けつけて救い、民を守るために自ら魔物を倒しまでするんですから」

「……私はそんな大層な人間じゃないわ」

私はただそうあるべきだと言い聞かせられていたから、そうしていただけ。そこに私の意志はなかったのだと、後になって思い知った。

けれどアルバートは首を左右に振り、否定する。

「何がきっかけであろうと、あなたほど自分に厳しくできる人はいません。現にあなたのご兄妹だって、同じことはできなかったでしょう？」

「……っ」

「ユフィはずっと、誰よりも頑張っていましたよ」

アルバートの言葉に、視界が滲んでいく。

どうしてアルバートはいつも、私が欲しかった言葉をくれるのだろう。

──私は、ずっと頑張っていた。どんなに才能があったって、全て私の努力がなければ生かすこともできないのだから。

遊ぶことも好きな食べ物を食べることも、弱音（よわね）を吐くことも許されない日々。

それでも魔力量や才能を持つ王女として生まれた私にとって「当たり前」で、誰も褒めてはくれなかった。

泣きそうになるのを堪え、アルバートの次の言葉を待つ。

「俺はそんなユフィをお慕いしていましたし、いずれ女王となるあなたと道が重なることはないと思っていました。それでも、いつかあなたにご恩を返すためには、力が必要だと考えたんです」

リデル王国は大国であり、有事の際に救えるような国など限られている。

だからこそ、アルバートは国を立て直し、帝国となるまで発展させたという。

「……私の、ため？」

「はい」

とんでもないことを、アルバートは爽やかな笑顔で言ってのける。

恩返しという理由だけで「国を発展させよう」と考え、実際に行動を起こして実現させてみせるなんて、信じられない。涙も驚きで引いていく。

「ですが、そうしているうちに俺にも守りたいものができました。今では部下も民達も大切に思っています。こんな俺を慕い、ついてきてくれる者達に平穏を、幸福な未来を与えられるような皇帝になりたい」

「……ええ」

アルバートのその気持ちは、普段の彼の様子から伝わってきていた。

ただの恩返しのためではなく、オルムステッド帝国を心から大切に思っているからこそ、彼はあんなにも心を砕いて日々皇帝としての職務に励んでいる。

どうだって良かった、なんて考えていたアルバートにとって、生まれ育った国が大切なものになったことが、どうしようもなく嬉しい。

私だって結局、リデル王国が大切で、好きなのだから。

「……結局、俺の全ての中心はあなたなんです。いつだってユフィのことばかりを考えて生きてきました」

そしてアルバートは、これまで見た中で一番、綺麗に微笑んだ。

「俺の人生を幸福なものに変えてくださって、ありがとうございます」

その瞬間、私はこのために生きてきたのだと、本気で思ってしまった。

——過去の自分を振り返ると、後悔なんて数え切れないほどあるし、決して褒められたものではないこともたくさんある。

それでも、あの日アルバートを救った自分の気まぐれに心から感謝した。

「……礼を言うのは、私の方だわ」

アルバートに出会わなければ、私は誰かを愛する気持ちも、思いやる気持ちも知らないままで、いつか本当に「悪徳王女」になっていたかもしれない。

「アルバートに出会えて良かった」

心からの気持ちを伝えると、アルバートはやっぱり泣きそうな顔で微笑んだ。

少しの間、お互い無言のまま見つめ合っていたけれど、やがてアルバートの手がするりと私の耳と髪の隙間に滑り込む。

いつしかキスの合図になった仕草に、そっと目を閉じる。

そっと唇が重なり、触れ合った部分から全身に熱が広がっていく。

一度離れてすぐ、今度はどちらからともなく求め合うように重なった。何度か繰り返した後、再び抱きしめられる。

とくとくと少し速いアルバートの心臓の鼓動が聞こえて、笑みがこぼれた。

「……ユフィ、愛しています」

「私もアルバートを愛しているわ」

目を閉じて、再び近づいてくる愛しいアルバートの唇を受け入れる。

それから「いい加減にしてください」と痺れを切らしたネイトが私達を呼びにく

「……少しは手加減とか、するつもりはないの？」

「はい、全く」

「…………」

日頃は私の言うことを何でも聞くアルバートがなぜこんなにも強気でいられるのかというと、過去のやりとりに起因する。

――数ヶ月前、アルバートに抱かれた後、恥ずかしくなった私が照れ隠しで怒ってしまい、本気で拒否されたと思い反省したアルバートが全く触れてこなくなったことがあった。

その後、私はそれはもう後悔して反省した。

アルバートに一切非はなく、私しか悪くないのだから。

(本当は嬉しくて、私だって触れたいし触れられたいのに)

どう謝っていいのかも分からない上に、男心だってさっぱり分からない。

これまで理解しようともしてこなかった恋愛初心者の私は結局、いつものようにアルバートの次に身近な男性を頼ることにした。

『僕、主の生々しい恋愛話とか聞きたくないんですけど』

『あなたくらいしか話せる人がいないんだもの！　相談にくらい乗りなさいよ』

無理やり捕まえたネイトに事情を話せば、ものすごく嫌な顔をされた。

それでもなんだかんだ相談に乗ってくれるあたり、優しい。

『でも、もう結婚もしているのに、どうして私が本気で嫌がると思うのかしら』

『アルバート様は九年もユーフェミア様に片想いし続けて、年に一度少しだけお姿を見られるのを生きがいにしていたんですよ。相当拗らせていますし、そう簡単に自信なんてつくものではないと思います』

『た、確かに……』

ネイトの言う通り、アルバートはやけに私に対して女神のような扱いをする。

私の少しの言動で傷付け、自信を喪失させてしまうと思うと、余計に先日の行動を悔やんでしまう。

『とにかく嫌じゃなくて嬉しい、恥ずかしかっただけ、そうされることを望んでいるという三点を伝えさえすれば絶対に解決すると思いますよ』

『分かったわ。ありがとう！』

そして海よりも深く反省した私は、それからすぐにアルバートの部屋を訪れ、ネイトに言われた通りに正直な気持ちを吐露した。

『あの、こないだはごめんなさい。その、違うの、本当は嬉しかったのに、恥ずか同時に反対側の耳をそっと撫でるように触れられ、身体が跳ねた。

「も、もう少し、って……？」

自分のものとは思えないくらい、小さくて震える声で尋ねる。

アルバートは少し顔を上げ、柔らかく目を細めた。

「ユフィからキスをしてほしいです」

「えっ」

「俺からしかしたことがないって、気付いていましたか？」

「……そう、かもしれない」

言われてみると、確かにそうだ。

私はアルバートからキスされるだけでもいっぱいいっぱいになってしまって、いつだって受け身だった。

（そんなの、想像しただけで恥ずかしくて死にそうだけれど、大好きなアルバートの望みだもの。なんとか叶えてあげたい）

そう思い深呼吸をした私は、アルバートの首に回していた手で彼の両頬を包み、自分の方へ引き寄せる。

「……っ」

これまで何度もキスをしてきたはずなのに、自分からするというだけで、信じられないくらいに恥ずかしい。

それでもきつく目を閉じ、そのままアルバートの顔をぐっと引き寄せる。

「…………」

「…………」

その結果、唇の柔らかさすら感じられないほど、一瞬思いきり口と口がぶつかるだけというムードも何もないものになってしまった。

キスというより、事故に近い。

(も、もういやだわ……！　情けなさすぎる)

いたたまれなくて逃げ出したくなっていると、アルバートはふっと笑う。

「下手で可愛いですね」

「へ、へた……」

「はい。ユフィにも苦手なものがあったんだなと」

魔物の解剖なんて上手じゃなくてもいいから、これは自然にこなしたかった。

へこむ私とは違って、アルバートは何故か嬉しそうにしている。

「どうしてそんなにニコニコしているのよ」

「ユフィの初めてが全部俺だと思うと嬉しくて」

「……っ」

本当にアルバートは、なぜ恥ずかしいことを何でもさらりと言えるのだろう。

「わ、私だって何でも最初から上手くできたわけじゃないもの！　たくさん努力をしてきたんだから」

「そうですね、ユフィは努力家ですから」

アルバートは優しくそう言うと、再び私に顔を近づけた。

美しい両目に映る、泣きそうな自分と視線が絡んだ。

「では、俺で練習してください」

「えっ」

「いくらでも付き合いますよ」

「あの、ちょっと待っ――……」

そこから先の記憶は、ほとんどない。「ご褒美」を口実に迫ってくるアルバートにひたすらキスをされて、させられて、もう限界なんて超えてしまった。

――それからしばらく「ご褒美」目当てのアルバートからのプレゼントが止まな

くなって困ったのは、また別の話。

あとがき

こんにちは、琴子と申します。

この度は『裏切られた悪徳王女、幼女になって冷血皇帝に拾われる2　～大人の姿に戻っても、過保護な溺愛が止まりません⁉～』をお手に取ってくださり、誠にありがとうございます。サブタイトルを変え、まさかの二巻です！

もっと大人のユーフェミアとアルバートのいちゃいちゃを書きたい、魔法を使って活躍するユーフェミアを書きたいと思っていたので、続刊のお話をいただけて嬉しかったです。

これも全て読者の皆さまのお陰です。本当にありがとうございます！

今回もユーフェミアの成長を中心に書きました。

一巻でも既にユーフェミアは良い方向に変化しましたが、お話の中でもあったように「人は簡単に変われない」部分もたくさんあると私は考えています。

それでもアルバートと時にはぶつかって話をして、受け入れられて、周りの人々からも愛されながらこれから先も少しずつ、けれど確実にユーフェミアは変わっていけると思います。

アルバートが終始一途でまっすぐで誠実で、ツンツンしていたユーフェミアがあんなに好きになってしまうのも分かる気がします。

甘えようとして奮闘する様子を書くのも、すっごく楽しかったです。

新キャラのハヴェルも、私の「好き」を詰め込みました。好き勝手をする俺様でありつつ、周りをよく見て気を遣っているタイプ、大変好きです。

あんな偉そうにしながらも恋愛に対しては臆病な面があって、冗談めかさないとユーフェミアに好意を伝えられないところも好きです。

とはいえ、いつも言っているのですが、私は「恋愛は行動を起こした者が強い」と思っているので、ハヴェルの敗因はそこにあるのかなと思います。

色々なことがありましたが、ユーフェミアとアルバートの幸せいっぱいな結婚式まで書くことができて本当に良かったです。

また、今回も素晴らしいイラストを描いてくださったTsubasa.v先生、本当にありがとうございました！　結婚式の様子はとっても感動してしまいました。

いつも丁寧で迅速なご対応をしてくださる優しい担当さん、出版に関わってくださった全ての関係者の皆さまにも、この場をお借りしてお礼申し上げます。

最後になりますが、ここまで読んでいただきありがとうございました。

書き下ろしはいつも皆さまのご感想を見るまでドッキドキです……。

本作はこれにて完結ですがコミカライズ企画も進行中なので、ぜひぜひお楽しみに！　とっても可愛いユーフェミアとかっこいいアルバートがたっぷり見られる超贅沢です。

それではまた、どこかでお会いできることを祈って。

琴子

裏切られた悪徳王女、幼女になって冷血皇帝に拾われる2
～大人の姿に戻っても、過保護な溺愛が止まりません!?～

2024年2月9日　初版第1刷発行

著　者　琴子（ことこ）
イラスト　Tsubasa.v（ツバサヴィー）
発行者　岩野裕一
発行所　株式会社実業之日本社
〒107-0062　東京都港区南青山6-6-22 emergence 2
電話（編集）03-6809-0473
（販売）03-6809-0495
実業之日本社ホームページ　https://www.j-n.co.jp/

印刷・製本　大日本印刷株式会社
装　丁　AFTERGLOW
D T P　ラッシュ

ISBN978-4-408-55843-1（第二漫画）